Le journal d'Aurélie Laflamme, Ça déménage !

tome 6

De la même auteure

Les aventures d'India Jones, Les Éditions des Intouchables, 2005.

Le journal d'Aurélie Laflamme, Extraterrestre… ou presque!, Les Éditions des Intouchables, 2006.

Le journal d'Aurélie Laflamme, Sur le point de craquer!, Les Éditions des Intouchables, 2006.

Le journal d'Aurélie Laflamme, Un été chez ma grand-mère, Les Éditions des Intouchables, 2007.

Le journal d'Aurélie Laflamme, Le monde à l'envers, Les Éditions des Intouchables, 2007.

Le journal d'Aurélie Laflamme, Championne, Les Éditions des Intouchables, 2008.

India Desjardins

Le journal d'Aurélie Laflamme

Ça déménage !

LES INTOUCHABLES

Les Éditions des Intouchables bénéficient du soutien financier de la SODEC et du Programme de crédits d'impôt du gouvernement du Québec.

 Conseil des Arts du Canada Nous remercions le Conseil des Arts du Canada de l'aide accordée à notre programme de publication.

Nous reconnaissons l'aide financière du gouvernement du Canada par l'entremise du Programme d'aide au développement de l'industrie de l'édition (PADIÉ) pour nos activités d'édition.

ASSOCIATION NATIONALE DES ÉDITEURS DE LIVRES Membre de l'Association nationale des éditeurs de livres.

LES ÉDITIONS DES INTOUCHABLES
4701, rue Saint-Denis
Montréal, Québec
H2J 2L5
Téléphone : 514-526-0770
Télécopieur : 514-529-7780
www.lesintouchables.com

DISTRIBUTION : PROLOGUE
1650, boulevard Lionel-Bertrand
Boisbriand, Québec
J7H 1N7
Téléphone : 450-434-0306
Télécopieur : 450-434-2627

Impression : Transcontinental
Conception et illustration de la couverture : Josée Tellier
Illustrations intérieures : Josée Tellier
Infographie : Marie Leviel
Photographie de l'auteure : Patrice Bériault

Dépôt légal : 2009
Bibliothèque et Archives nationales du Québec
Bibliothèque nationale du Canada

ISBN : 978-2-89549-365-5

À mes grands-papas,
qui m'ont légué un héritage de cœur.

Merci à :

Ma famille si présente : Papa, Maman, Gina, Patricia et Jean.

Mes amies, mes muses : Mélanie Robichaud, Mélanie Beaudoin, Maude Vachon, Nadine Bismuth, Mélanie Campeau, Nathalie Slight, Michelle-Andrée Hogue, Julie Blackburn et Emily Brunton.

Mon préposé aux fruits : Stéphane Dompierre.

Josée Tellier, la meilleure illustratrice du monde tout entier.

Ma complice, Judith Landry.

Ma précieuse Ingrid Remazeilles.

Michel Brûlé, Mylène Des Cheneaux, Geneviève Nadeau, Emilie Bourdages, Lisanne Lanciault, Dominique Spénard, Géraldine Zaccardelli et Marie Leviel, l'équipe des Intouchables.

Mes correctrices : Annie Talbot et Élyse-Andrée Héroux.

Pascal Blanchet pour les brainstormings gratis.

Théo Lepage-Richer et Zoé Bouchard pour les informations.

Shanelle Guérin pour le regard avisé.

Simon Olivier Fecteau pour toutes les idées.

Claude Veillet, Lucie Veillet et Annie Blais pour la nouvelle famille d'Aurélie.

Geneviève Provost, Karl Frédérique Anctil, Marie-Ève Leclerc Dion, Véronique Desrosiers et Julien Perrier pour le merveilleux site Internet.

Christian Laurence, mon yang créatif.

Et un merci particulier à l'auberge La Pinsonnière et à la magnifique région de Charlevoix pour l'accueil si chaleureux et l'inspiration abondante.

Mai

Sauter au plafond

MA NOUVELLE MAISON ?

[MON CERVEAU]
JE VEUX LUI DIRE HEÏLLE !!!

DRING   DRIIIIINNNG !!

LITIÈRE DE SYBIL... QUE J'AI PAS ENCORE NETTOYÉE !!

RÈGLE #2 : JAMAIS STOOLER

SECTE DES Célibataires

MEILLEURS SANDWICHES DE L'UNIVERS

TOILETTES

GROSSE BOBETTE !! L'INSULTE SUPRÊME !!!!)

feng Shui ☺

TARTE   TARTE (MOI)

Samedi 5 mai

Bon. Pas de panique. Je ne suis pas si en retard que ça. Ce n'est pas ma faute, moi, si mon réveille-matin sonne si peu fort qu'il m'arrive de ne pas l'entendre. OK, j'avoue, il sonne à un volume normal. Mais on dirait qu'avec les années j'ai fini par m'*habituer* à sa sonnerie et qu'il me réveille, disons, moins. Surtout la fin de semaine. Mon corps est totalement conditionné à dormir la fin de semaine. Alors, si je mets mon réveille-matin à une heure indécente (trop de bonne heure, comme ce matin), mon corps comprend (parce qu'il existe une certaine forme d'intelligence dite physique, je crois – à vérifier dans manuel médical) qu'il ne doit pas se lever et reste endormi malgré les bip-bip incessants.

En toute autre circonstance, le fait que mon corps reste endormi malgré la sonnerie du réveille-matin serait un avantage. Après tout, c'est quelque chose que mon corps a dû développer avec les années. Pour les jours où, par erreur, j'aurais laissé l'alarme de mon réveille-matin alors qu'il n'y a pas d'école. Mais aujourd'hui, ce n'est pas le moment d'être en retard.

Une chance que Sybil est là ! C'est effective-ment grâce à ma chatte si je me suis réveillée.

Elle me donnait des petits bisous sur le visage. Ce qui m'a sortie d'un profond sommeil où je rêvais que mon réveille-matin sonnait et que j'étais super fâchée (bon, d'accord, mon cerveau n'est pas toujours très subtil, lui).

Aujourd'hui, j'ai une entrevue. Pour un emploi. (Pas parce que je suis une vedette internationale, car je ne le suis pas.)

Ce n'est pas que je voulais travailler tant que ça. Pour tout dire, c'est ma mère qui m'y a forcée.

En gros, elle avait les mêmes arguments que pour n'importe quoi : développer mon sens des responsabilités (honnêtement, je pense sérieusement qu'elle abuse de cet argument, elle me l'a sorti l'autre jour pour que je ferme la porte de l'armoire après avoir pris mes céréales... tsss). S'est ensuivie une chicane avec portes qui claquent, réconciliation et promesse que j'essaierais de me trouver un emploi (ma mère gagne toujours, car c'est une excellente manipulatrice. Et puisqu'elle travaille en marketing, elle réussit toujours à me faire miroiter plusieurs avantages ; dans ce cas-ci, avoir l'autonomie de me payer des trucs que je veux vraiment, mais qu'elle juge superflus, style une jupe Volcom).

Et aujourd'hui, j'ai une entrevue à 9 h 45 dans un resto où on fait des sous-marins.

Si je travaille dans le resto de sous-marins, ça va peut-être devenir le repaire de ma gang. Genre, tout le monde viendra m'y rencontrer, acheter des sous-marins, s'assoira là-bas et me parlera pendant que je nettoie les comptoirs. Mes patrons trouveront peut-être même que je leur amène une belle clientèle renouvelée.

Kat, ma meilleure amie, viendrait souvent me voir. Et, tandis que je terminerais mon quart de travail, m'encouragerait et me raconterait les derniers potins. Son chum, notre ami Jean-Félix, viendrait l'y rejoindre après son cours de karaté. Elle rirait de le voir entrer en uniforme et ils iraient se choisir une table dans le fond pour se minoucher. (Aaaark! Minoucher, quel terme dégueu! Mais bon, c'est ce qu'ils feraient, en se tenant la main et en se regardant amoureusement.) Et tout à coup, Tommy, mon futur-ex-voisin-et-meilleur-ami-gars, entrerait à son tour, me saluant, et je pointerais Kat et Jean-Félix du menton et on rigolerait, tout en les traitant de quétaines dans leur dos.

Ce serait la belle vie!

Vraiment, ce travail serait parfait pour moi!

Note à moi-même: Me rappeler de ne pas utiliser cet argument pendant mon entrevue.

9 h 35

Vite, vite! Je dois attraper mon manteau et partir!

Honnêtement, toute cette recherche d'emploi m'a permis de focaliser sur autre chose que «l'événement» qui me perturbe ces temps-ci: mon déménagement. À quelques rues d'ici, pfff! Eh oui, ma mère veut habiter avec son chum, François Blais, et pense qu'habiter la maison où elle a vécu avec mon père, son défunt amour, ne lui permettra pas de se laisser aller à un bonheur nouveau. Elle croit vivre avec des fantômes (façon de parler). Personnellement, je

15

trouve que ma mère est *over-drama-queen*! J'y suis bien arrivée, moi! Et je n'ai proposé à personne de déménager! (Bon, c'est un peu faux, car j'y ai déjà pensé comme solution à une humiliation quelconque. Laquelle? Je ne m'en souviens plus trop, car ça m'arrive tellement souvent!) Mais je n'en ai pas fait tout un drame comme elle! Et j'ai respecté sa décision de ne pas vouloir déménager, car ce n'était pas une bonne idée, mais plutôt une totale impulsion, comme cette idée saugrenue de ma mère d'acheter une nouvelle maison!

J'avais pensé à une solution : déménager chez ma grand-mère Laflamme, la mère de mon père. Pour aller quelque part que je connais déjà, où je me sens bien et où mon père a vécu. Mais, disons que ça n'a pas plu à Tommy ni à Kat. Et à bien y penser, je crois que je préfère terminer mon secondaire dans cette école. Déjà que j'ai changé d'école en début d'année, ça ne me tente pas trop de tout recommencer l'an prochain. Trop de changements, ça étourdit...

Car effectivement, dans son plan de déménagement, ma mère a au moins eu, disons, l'âme généreuse en choisissant une maison dans le quartier et en me permettant de ne pas changer d'école.

J'ai vu la maison qu'ils ont choisie, elle et François. Ils me l'ont quand même montrée avant de faire l'offre d'achat finale (que de générosité!). Elle est correcte. Sans plus. Je ne tripe pas trop sur les couleurs. Ma mère m'a dit qu'ils vont les changer. Bof. La disposition des pièces aussi. Je suis certaine que, dans les livres de décoration, ils diraient que la disposition des pièces n'est pas feng shui. Je n'ai pas cherché et je n'y connais rien, mais j'ai un instinct fort pour les arts ancestraux asiatiques. (Ceci n'a jamais été vérifié scientifiquement, mais je sens que j'ai l'instinct développé à ce niveau, car lorsque je feuillette des magazines de décoration chez le dentiste parce qu'il n'y a rien d'autre à lire, il me vient toujours des idées, alors c'est une preuve d'un certain talent dans ce domaine.) Bref, la maison n'est pas trop mon genre et je ne crois pas qu'elle soit très feng shui. J'en ai parlé à ma mère qui m'a dit que si je désirais qu'elle soit plus feng shui, on pourrait arranger ça si ça me fait plaisir. Je lui ai dit que malheureusement, selon mes connaissances (instinctives), il y aurait beaucoup trop de travail à faire pour harmoniser les éléments de cette maison. Ma mère a alors dit :

– Depuis quand tu t'intéresses à ça ?

J'ai dit :

– Je vais souvent chez le dentiste et il n'y a que des magazines de décoration à lire ! J'ai grandement étudié la question, tu sauras !

Considérant que mes connaissances en la matière étaient somme toute assez limitées et que ça ne « constituait pas une bonne raison de ne pas acheter la maison », ma mère a décidé de ne pas écouter mes conseils.

Et François, son chum, a proposé qu'on engage un maître feng shui pour vérifier la maison, juste pour être sûr, si j'y tenais. J'ai lancé :

– Vous ne me faites pas confiance ?!?!?!

François : Oui, c'est pour ça qu'on est prêts à engager un spécialiste si ça peut te rassurer.

Ma mère : Puisque tu sembles te passionner pour le sujet, on pourra faire le tour de la maison avec lui. J'ai une collègue de bureau qui en a engagé un et qui en a été très satisfaite.

François : Monique ?

Ma mère : Non ! À mon nouveau bureau !

Et la conversation a bifurqué sur leur travail, sur le fait que François aimerait qu'elle revienne travailler pour lui, qu'il augmenterait son salaire, qu'elle en aurait besoin pour sa nouvelle hypothèque, etc. Ils rigolaient comme de jeunes écoliers et, moi, prise soudainement de nausée, j'ai simplement quitté cette pièce (définitivement non feng shui).

Quand ils se sont rencontrés, François était le boss de ma mère. Puis, ils se sont laissés, ils ont repris (grâce à moi, mais avoir su que ça me ferait déménager, j'aurais peut-être juste laissé faire !), et ma mère a décidé de se trouver un nouvel emploi pour ne plus travailler avec son chum.

Je crois que c'est ce changement de bureau qui lui a donné l'idée de m'obliger à me trouver un emploi. Elle revenait du travail tout excitée, motivée (c'est elle qui dit ça). Alors, elle a pensé que ça me ferait le même effet. Le problème, avec ma mère, c'est qu'elle croit que si quelque chose la rend heureuse, ça me rendra heureuse aussi. FAUX ! La preuve : faire le ménage la rend heureuse, tandis que moi, ça me tape solidement sur les nerfs. Et ça fait des années que c'est comme ça et que ça n'a pas changé. Le problème, c'est qu'on dirait que l'information selon laquelle nos champs d'intérêt sont totalement différents réussit à se rendre à mon cerveau, mais ne semble pas se rendre au sien.

Bref, si je ne m'étais pas mêlée de la vie de ma mère et si je n'avais pas tenté de la réconcilier avec son chum, je ne déménagerais pas dans une maison qui ne respecte pas les règles du feng shui et j'aurais pu dormir ce matin, car je n'aurais pas été obligée de me trouver un emploi! Ça m'apprendra!

9 h 55
Pfff! Mes peut-être nouveaux futurs employeurs ne sont pas trop ponctuels. Ils me donnent rendez-vous à une heure indécente et se permettent d'être en retard. Je ne sais pas pour qui ils se prennent de m'obliger à me réveiller aux aurores pour me faire attendre comme ça, toute stressée.

9 h 57
Les autres candidats et moi, on se regarde en se faisant des petits sourires. Je me demande s'ils se demandent tout comme moi qui sera choisi parmi nous. Dans le cas où ce seraient des rivaux pour le poste, faut-il fraterniser? La fille à mes côtés secoue tellement sa jambe que son mouvement se répercute sur ma chaise et la fait trembler, ce qui est assez, je dois dire, énervant.

9 h 59
Je viens de lancer un regard à la fille qui secoue sa jambe. J'espère qu'elle comprendra ce que signifie mon regard qui lui envoie

précisément le signal : « Arrête de secouer ta jambe. »

10 h

Si je change de place, je me demande si elle interprétera ça comme un rejet… Je ne voudrais surtout pas qu'elle croie que je pense qu'elle pue. Je trouverais dommage qu'elle pense que c'est son odeur qui me fait changer de place plutôt que sa nervosité excessive.

10 h 02

Depuis une minute, je constate que je secoue aussi la jambe.

Note à moi-même : Éviter les surplus de compassion.

10 h 03

Je sursaute lorsque quelqu'un portant l'uniforme du restaurant appelle mon nom (pas à cause dudit uniforme, mais parce que j'étais dans la lune). Un grand gars qui me semble roux sous sa casquette m'invite à le suivre et me pointe le bureau où on me rencontrera.

10 h 05

J'ai fait comme ma mère a dit. J'ai regardé dans les yeux et j'ai serré la main du patron très fermement. Il s'appelle monsieur Lalonde. Il est en habit. Il est assisté de Sandra Dunkan, une fille d'environ une vingtaine d'années qui porte aussi l'uniforme de l'endroit et qui a un accent anglophone.

Monsieur Lalonde parcourt ma demande d'emploi et dit :

– Je t'avoue que nous avons été un peu étonnés par tes... informations. Je me demande si ta « manie de tortiller les trombones » pourrait affecter ton travail.

Je l'observe. Est-il pince-sans-rire en disant ça ? Devrais-je rire (si c'est une blague) ou plutôt me défendre (si c'est une attaque) ?

Bon. Il faut dire que je n'avais jamais rempli de demande d'emploi. Et que lorsque j'ai vu qu'il y avait au moins une trentaine de lignes à la section : « Autres informations utiles à propos de vous », j'en ai profité pour faire, disons, une introspection/bilan de ce que je suis, y allant de plusieurs informations inusitées à mon sujet, comme le *Miss Magazine* le fait pour les vedettes. Je croyais que cette section servait à mieux cerner les futurs employés.

J'ai donc un peu tout dit sur moi.

• J'aime l'odeur du feu dans un foyer (mais je n'aime pas l'odeur de brûlé qui reste sur moi après m'en être approchée).

• Je déteste parler l'hiver quand la bouche me gèle et qu'articuler devient impossible.

• J'aime marcher en me traînant les pieds dans la rue, sur le bord du trottoir, en automne, quand il y a une accumulation de feuilles qui font comme un tapis sous les pieds (mais je n'aime pas marcher en me traînant les pieds dans la rue le printemps parce qu'il y a de la slush et que ça mouille mes bas de pantalons).

• Je déteste l'odeur du goudron l'été quand ils refont les toitures.

• Je déteste marcher sur une gomme.

• J'ai la manie de tortiller les trombones sitôt que j'en vois un (leur exemple).

• J'aime regarder le même film au moins cent mille fois (seulement si je l'aime, sinon ce serait carrément masochiste, ce que je ne suis pas).

• Je n'aime pas les nonos qui jettent leurs déchets en pleine rue.

• Je n'aime pas particulièrement les écureuils (car j'ai l'impression qu'ils veulent me sauter dessus agressivement) ni les oiseaux (car ils me foncent souvent dessus en volant). Bref, je n'aime aucun animal qui pourrait me foncer dessus.

• J'aime écouter de la musique et lire des magazines.

• J'aime lire les remerciements/paroles dans les pochettes de CD parce qu'il y a toujours une *inside* quelque part et j'essaie de la comprendre.

• Je n'aime pas quand ma coiffeuse me coupe les cheveux trop court.

• Je déteste me couper avec une feuille de papier (je trouve que c'est une blessure qui insulte l'intelligence).

• J'aime péter les bulles du papier à bulles.

10 h 07

Je regarde monsieur Lalonde et je réponds :

— Non, ma manie de tortiller des trombones n'affecterait pas mon travail, c'est plus quelque chose que je fais... dans mes temps libres.

Monsieur Lalonde sourit en coin, parcourt ma demande d'emploi du regard et dit :

– Votre passion pour la musique... Vous ne seriez pas du genre à écouter votre iPod en travaillant ?

Moi : Non.

À ce moment, Sandra semble perplexe et lance :

– Nous avons souvent eu des employés qui écoutaient leur iPod en travaillant.

Moi : Ah ouain ? Ils sont assez impolis.

Elle semble satisfaite de ma réponse. Fiou. J'avoue que je me sens de plus en plus nerveuse. Je n'aurais pas dû écrire tout ça. Mais qu'est-ce qui m'a pris ? (Je crois que j'avais un peu envie de saboter ma demande d'emploi... mais ça, c'était avant que je rêve que ce resto devienne le repaire de mes amis !) Je sens la sueur couler sous mes bras. J'espère ne pas avoir oublié de mettre du déodorant. Je crois que oui, parce que j'étais trop pressée... Oh non ! ! !

Monsieur Lalonde : Vous savez que plusieurs oiseaux tournent autour de nos poubelles et qu'une de vos tâches serait de mettre les poubelles dehors ?

Moi : Je croyais que c'était de faire des sous-marins ? !

Monsieur Lalonde : Oui, mais vous devez aussi nettoyer la cuisine, les comptoirs, les instruments, faire cuire le pain et mettre les poubelles dehors.

Moi : Je... les oiseaux ne me dérangent pas tant que ça. (Faux. Mais on m'a dit qu'il faut parfois mentir en entrevue.)

Monsieur Lalonde : Et tout nettoyer ?

Moi : Euh... le ménage... n'a jamais été un problème pour moi...

Monsieur Lalonde : C'est vrai que vous avez une passion (il regarde ma fiche) « inavouée » pour les sous-marins ?

Il fait référence à la question : « Pourquoi désirez-vous travailler pour notre entreprise ? » Évidemment, je n'ai pas voulu répondre « parce que ma mère m'y oblige » ou encore « pour faire de l'argent de poche », je ne trouvais pas ça très vendeur.

J'ai donc écrit :

« Depuis mon enfance, je suis fascinée par les sandwiches. J'en ai mangé de toutes les sortes, à tous les âges et dans tous les lieux. J'ai à proprement parler une passion inavouée pour les sous-marins. C'est mon rêve de trouver un emploi dans ce domaine. De ce fait, vous pouvez comprendre mon enthousiasme pour ce poste. »

QU'EST-CE QUE J'AURAIS PU ÉCRIRE D'AUTRE ?????!!!!!!

J'adoooore les sous-marins ! C'est vrai. Et on m'a toujours dit qu'il faut en mettre un peu plus sur les demandes d'emploi. Bon, d'accord, j'ai un peu exagéré, je ne rêve pas de faire des sous-marins, mais j'ai pensé que c'était plausible qu'une fille de mon âge ait ce rêve. Les gens qui engagent le personnel sont des adultes et ils penseront que, vu que je suis une adolescente, je n'ai pas encore, disons, d'ambition grandiose. Et, bon, ils n'auraient pas tort de croire ça. Après tout, je ne sais pas encore trop ce que je vais faire dans la vie. C'est flou. Alors, oui, ma seule ambition présentement, mon seul rêve, est de faire des sous-marins (et pouvoir me payer plein de trucs, superflus selon ma mère).

Donc, en quelque sorte, même si j'ai écrit ça pour «me vendre», c'est la vérité.

Et j'ai bien fait, car cela me vaut de passer une entrevue avec le gérant ce matin. Ah!

Je pince un peu les lèvres. Je pense à ma mère qui serait tellement contente que j'aie un emploi. Je pense à Tommy qui travaille dans une station-service et qui m'avait dit, pour me préparer à l'entrevue, d'être souriante et, surtout, normale. Normale... Est-ce vraiment moi? Lorsque je suis nerveuse, je pète un peu les plombs. Je déparle. Je dis n'importe quoi. Je regarde monsieur Lalonde, avec son habit bleu marine, son crâne légèrement dégarni, j'essaie de ne pas trop respirer son odeur de cigarette mélangée à du café et je réponds:

– Dans ma famille, c'est toujours moi qui fais les sandwiches! (Un mensonge de plus ou de moins, ce n'est pas si grave, l'important est d'être engagée.)

10 h 15

Je crois que dans l'ensemble, ça s'est bien passé. J'ai quitté le bureau en serrant une fois de plus la main de monsieur Lalonde et de la gérante. Après coup, il me vient de meilleures réponses. Comme lorsqu'il m'a parlé des trombones, j'aurais dû dire: «Cela signifie que j'ai une certaine dextérité qui pourrait m'être utile pour la préparation de sous-marins.» Il aurait sûrement trouvé cette réponse pleine d'esprit. Je me demande pourquoi les meilleures réponses viennent toujours après coup. Argh. Je croyais que le cerveau était un organe qui évolue, mais en ce qui me concerne, mon

neurodéveloppement semble stagner depuis...
carrément ma naissance!

Lundi 7 mai

Tommy et moi nous rendons à l'école d'un
pas assez rapide parce que nous sommes légèrement en retard (c'est un peu sa faute, j'avoue,
car quand il m'a vue, il m'a dit: «Tu vas
vraiment porter ça?» J'avais un chandail de
laine et il paraît qu'il fait chaud dehors, alors je
me suis changée, mais quand je suis sortie j'ai
eu froid, alors je suis retournée le remettre, et si
je ne l'avais pas écouté, nous ne serions pas
obligés d'aller si vite!).

Je m'arrête subitement, clouée au sol, et crie:
— Arghhhhhhh! Je n'arrête pas de marcher
sur de la gomme cette semaine!!!!!! Qu'est-ce
que l'univers veut me dire?!!!!

Tommy: Marche pas sur de la gomme?

Tommy. Mon voisin. Mon meilleur ami
(gars). Je le regarde et j'éclate de rire. Quand
j'aurai déménagé, on ne pourra plus marcher,
comme ça, pour aller à l'école. En fait, je ne
pourrai plus marcher tout court. Parce que bien
que ma nouvelle maison soit située dans le
même quartier desservant la même école, elle
est un petit peu plus loin et je devrai prendre
l'autobus (jaune, comme au primaire). J'ai un

pincement au cœur quand je pense à ça. Quand je pense que je ne pourrai plus me rendre à l'école avec Tommy. Que je ne pourrai plus aller cogner à sa fenêtre de chambre en cachette pour me faire consoler, ou juste pour être avec lui et jouer à *Rock Band*. J'arrête de rire et je le regarde avec nostalgie. (Bon, admettons-le, c'est de la nostalgie prématurée, car je ne peux, par définition, être nostalgique de quelque chose qui n'est pas encore terminé, mais autant mon cerveau est à retardement, je crois que mon cœur, lui, est très évolué et est capable de me montrer à l'avance les sentiments que j'aurai avant même de les vivre. Au moins, j'ai un organe qui fonctionne!)

Tommy: Arrête de me regarder de même, Laf!

Moi: C'est que j'ai de la peine de penser que l'an prochain, on ne pourra plus aller à l'école ensemble...

Tommy: Je te l'ai dit qu'on s'arrangerait, fais-toi z'en pas avec ça. Pis au pire, ça va juste me permettre d'arriver à l'heure sans être obligé d'attendre une fille qui n'est pas capable de se décider sur son linge!

Moi: T'as dit qu'il faisait chaud et on gèle!

Tommy: Il fait chaud, aussi! C'est ton système qui est complètement déréglé!

À mettre dans la liste de mes organes non fonctionnels: Mon hypothalamus, qui contient le centre thermorégulateur. (Mais oui, je sais ça! Toutes ces années de secondaire doivent bien servir à apprendre quelque chose!)

9 h 11

Tommy et moi arrivons en trombe, essoufflés, à l'école. Nous avons décidé de courir. (Assez difficile de courir quand un de vos pieds colle par terre à cause d'une *&?%$$#@! gomme crachée là par un(e) impoli(e)! Oh ouach, juste à penser que j'ai non seulement une vieille gomme, mais aussi de la bave de quelqu'un d'autre sous mes souliers me donne mal au cœur.) Nous arrêtons de courir devant un prof surveillant pour ne pas perdre de points de comportement pour cause de « course corridors/escaliers ». Nous marchons quand même d'un pas rapide puisqu'il nous reste quatre minutes pour aller chercher nos livres et nous rendre à notre premier cours.

Arrivés aux cases, on voit Kat et Jean-Félix qui nous fixent.

Kat : Vous étiez où??? ! ! !

Tommy : Juste là ! Tu nous as pas vus ?

Kat lève les yeux au ciel. JF lui donne un bisou sur la joue et lui dit :

— Bye, chérie d'amour, à tantôt. Bonne chance pour ton test d'anglais.

Kat : Bye, chéripounet. Merci.

Tommy et moi nous regardons en roulant des yeux. Puis, je me réveille :

— Test d'anglais ???

Kat : Ben oui ! Les verbes irréguliers.

Moi : Non ! ! ! ! ! Je vais couler !

Kat : C'est juste un test de révision. On avait vu ça en première secondaire. C'est pour nous aider pour l'examen du ministère qui s'en vient.

Moi : Oui, mais tu le sais que mon cerveau ne retient pas l'information inutile !

Kat : C'est de l'information assez utile, je trouve...

Tommy : OK, bye, les filles, à tantôt.

9 h 14

Kat me débite les verbes irréguliers en rafale pendant que nous nous rendons à notre cours :
awake, awoke, awoken
be, was/were, been
become, became, become
begin, began, begun,
dream, dreamt, dreamt
Etcetera, etceterate, etceteraten. (Hihi, blague, j'invente.)

10 h 32

Étonnant comme la mémoire peut nous jouer des tours (dans le bon sens). Les verbes irréguliers me sont tous revenus en mémoire alors que je les avais mémorisés il y a deux ans.

Note à moi-même : Apparemment, j'ai une excellente mémoire. M'en souvenir.

Mardi 8 mai

Je tente de faire mon devoir de maths, mais j'ai une petite obsession (toute petite) en tête. Je déménage. Dans cinquante-quatre jours. On respire. Ah-fu, ah-fu. Il faut que j'arrête de penser aux désagréments, comme ne plus vivre proche de Tommy ou ne plus habiter dans la maison où j'ai grandi (avec mon père) ou encore quitter ma chambre. Après tout, je pourrais vivre une situation bien pire, comme être obligée de me battre contre des animaux sauvages dans la jungle et, après tout, ce n'est pas le cas (et ceux à qui ça arrive sont vraiment mal tombés, filialement parlant). Ce changement sera sûrement bénéfique (le déménagement et non le domptage d'animaux sauvages)... surtout pour ma mère et pour François. Si je suis entourée de gens heureux, ça se répercutera forcément sur moi et, donc, je vais irradier de bonheur. Oui. Ce déménagement comportera sûrement plusieurs avantages. Et il faut que je me concentre sur les aspects positifs. Oui, comme avoir une nouvelle chambre au sous-sol, avec vue sur la rue. C'est rare pour un sous-sol. En fait, François refuse de dire que c'est un sous-sol, car ce n'est pas complètement dans la terre et il y a des fenêtres. Et ça peut être super pratique d'avoir vue sur la rue. Par exemple, euh, disons, pour regarder des voitures. Je ne m'y connais pas en mécanique, je pourrais peut-être devenir un peu experte là-dedans en observant ce qui se fait dans ce domaine. Et comment apprendre mieux qu'en observant sur le terrain, c'est-à-dire dans les rues où se promènent les véhicules ? Donc, avantages de ma nouvelle maison :

• approfondir mes connaissances en mécanique (par effet d'observation) ;

• irradier de bonheur (par effet de réper-cussion) ;

• ?

À l'agenda : Trouver d'autres avantages à ma nouvelle maison (si possible quand je n'aurai pas un devoir de maths à faire et que trouver des avantages à ma future nouvelle vie pourrait me faire négliger ma vie scolaire présente).

À l'agenda n° 2 : Tenter de découvrir pourquoi je pense à mes problèmes existentiels *particulièrement* lorsque j'ai un devoir de maths à faire.

Mercredi 9 mai

Pendant que nous dînons, Tommy, Kat, Jean-Félix et moi, et que Kat raconte une anecdote au sujet de son père qui a dit ou fait je-ne-sais-pas-quoi-parce-que-je-n'écoute-pas, je lance un regard vers la table de Iohann Martel, mon ex. Il est entouré de Frédérique Lalonde, son ex-redevenue-sa-blonde-trois-secondes-après-notre-rupture, Nadège Potvin-Martineau et Roxanne Gélinas. Ces filles, que Kat qualifie de « perruches » parce qu'elles rient fort et qu'elles s'habillent (selon les goûts de Kat) de façon multicolore, sont devenues mes amies pendant que je sortais avec Iohann. C'est une gang populaire, et j'en ai fait partie. Et, bien que, dans les films que j'écoute parfois, être populaire ait l'air vraiment cool, dans les faits, je n'y ai trouvé aucun autre avantage que d'être saluée par... une fille qui avait ri de moi au primaire.

Maintenant, quand je croise Iohann, Frédérique, Nadège ou Roxanne, on se salue, comme si notre relation était issue d'un passé lointain, alors que dans les faits, il y a encore quelques semaines à peine, je dînais avec eux. Ça ne me fait pas sentir nostalgique ni rejet. Je préfère de loin mes amis à moi, même si nous passons inaperçus dans le paysage scolaire. Pendant que je sortais avec Iohann, je me suis même un peu éloignée d'eux. Allant même jusqu'à me chicaner avec Kat. Ma meilleure amie. J'ai bien réalisé, maintenant, que je ne pouvais vivre sans elle. C'est ma *best forever and ever and ever*. Ma sœur cosmique, même, peut-être. Et quand je me chicane avec elle, j'ai juste l'impression d'être amputée d'un membre important. Elle m'a dit qu'elle se sentait comme ça aussi. Nous ne sommes pas totalement pareilles. Pourtant, tant de choses nous unissent. Je sais bien que rien ne pourra jamais nous séparer.

D'ailleurs, depuis cette chicane, nous avons décidé de réévaluer nos « règles de *best* » érigées en première secondaire. Alors, la semaine dernière, nous nous sommes rencontrées pour faire une petite mise à jour.

Dimanche 29 avril,
chambre de Kat

Moi : Règle n° 1 : Ne plus jamais se chicaner.

Kat : Même si on se fait de nouvelles amies — et on a le droit —, ne jamais délaisser notre *best*.

Moi : Avertir les nouvelles amies que rien ne pourra nous séparer de notre *best*.

Kat : Bon, on a quand même compris cette règle.

Moi : Ouain, on est peut-être un peu trop claires. Qu'est-ce qu'on écrit ?

Kat : Peut-être juste que nous sommes inséparables. (Elle note.) OK, règle numéro deux ? (On réfléchit.) Oh, je le sais ! Jamais *stooler*.

Moi : On ferait jamais ça ! Hum... à part si on est en danger de mort.

Kat : Dans quelle situation on serait en danger de mort ?

Moi : J'sais pas, moi, tu dis : « Je veux me baigner. » Tu vas dans une piscine interdite, tu me demandes de ne pas le dire, tu passes près de te noyer et je ne sais pas faire le bouche-à-bouche. Faut ben que je le dise à quelqu'un.

Kat : Ouain, OK. (Elle note pendant que je lui propose de peut-être prendre des cours de soins d'urgence, car ça pourrait être pratique, et elle ajoute cette note.) OK, règle numéro trois ? Ne jamais sortir avec un gars s'il est con ou s'il n'aime pas notre *best* ?

Moi : Tant qu'à moi, tu pourrais bien écrire « ne jamais sortir avec un gars » tout court.

Kat : Hum... non. Refusé. Tu disais ça aussi en première secondaire et regarde où ça nous a menées. Donc, aucun gars ne pourra jamais nous séparer.

Moi : Ouain, mais ça entre dans « inséparables », ça.

Kat : Oui, mais t'sais, avec les gars, c'est différent. On est plus émotives.

Moi : Ouain, c'est vrai. Donc, on écrit : « Ne pas laisser les gars s'immiscer entre nous » ?

Kat : « S'immiscer » ? Toi pis tes mots à cent piasses ! Comment ça s'écrit ?

Moi : On aurait dû juste entrer ça dans « inséparables » comme j'avais dit.

Kat : Je vais ajouter : « Ne pas s'obstiner pour des niaiseries. »

Moi : Ha. Ha.

Kat : On écrit une clause pour Tommy ?

Moi : Hein ?

Kat : Il m'énerve. Tu le sais.

Moi : Oui, mais c'est mon meilleur ami gars.

Kat : Je vais écrire une sous-clause à la clause qu'aucun gars ne peut s'immiscer entre nous. (Elle écrit.) « Tommy est toléré, mais sa position est à reconsidérer s'il énerve trop Kat. »

Je soupire.

Kat : Ben là ! Il n'arrête pas !

Moi : Il est pas si pire, c'est peut-être toi qui es susceptible !

Kat : Moi, susceptible ?

Moi : Toi non plus, tu ne le lâches pas !

Kat : Moi ?!?

Moi : Là, on est en train de briser deux règles : « ne pas se chicaner pour des niaiseries » et « ne pas laisser un gars s'immiscer entre nous ».

Kat : Ouain, OK. Qu'est-ce qu'on fait avec la règle « ne jamais dire à personne qu'on a tripé sur de la musique quétaine » ?

Moi : On l'enlève. On a vieilli depuis. On s'assume.

Kat : Hum...

Moi : On s'assume, franchement !

Kat : OK, OK ! En dernier : nos secrets sont top secrets.

Moi : Ça, c'est sûr.

Kat : Donc, en gros : inséparables, les gars ne peuvent constituer une cause de chicane, on *stoole* pas, et ce qui se dit entre nous reste entre nous.

Moi : Nos règles sont redondantes...

Kat : C'est important d'être claires. Tu crois qu'il faudrait signer avec notre sang ou un truc du genre ?

Moi : Non, ça va être correct. J'ai pas le goût de me faire mal pour des évidences.

Kat : Ouain, tant qu'à y être, dis donc qu'on a perdu notre temps !

Moi : Ben...

Retour au mercredi 9 mai

Je crois que j'ai simplement honte d'avoir eu autant d'émotions fortes et d'avoir focalisé sur des choses futiles, d'avoir cru en des choses creuses. J'aurais tellement voulu être plus forte, améliorer mes résultats scolaires, faire comme si rien ne m'atteignait. Ni la popularité. Ni rien. M'enfin... je ne suis pas comme ça, ç'a l'air.

J'en ai un peu parlé à ma mère une fois (dans un de nos rares moments de grâce) et elle m'a dit que j'avais des expériences à vivre. Ça m'a déculpabilisée. Parfois (en de très rares occasions, je tiens à le préciser), elle dit des choses qui ont du sens.

N'empêche que maintenant, j'ai une capacité plus grande à focaliser sur mes priorités. Et mon seul intérêt romantique est dirigé envers Robert Pattinson, l'interprète d'Edward Cullen dans *Twilight*. Ce qui ne me déconcentre pas trop dans mes études, vu que ce n'est qu'une affiche sur le mur rouge cerise de ma chambre.

12 h 51

Je jette un furtif (mais vraiment furtif) regard vers la table de Nicolas. Mon premier grand amour. Qui m'a laissée. Tout ça parce que Tommy m'a embrassée par erreur (il croyait que j'étais célibataire et que je m'intéressais à lui). Bon, il faut dire que cette erreur a été filmée et qu'elle a été diffusée à MusiquePlus (à cause du mouvement de caméra poche du caméraman, mais cela dit je n'en ai jamais voulu audit caméraman, même si j'ai écrit une lettre à MusiquePlus pour les informer des plans de caméra qui existaient après une recherche exhaustive sur le sujet, lettre que je n'ai jamais envoyée). Même si j'ai tout expliqué à Nicolas, ça n'a rien changé. Puis, quelques mois plus tard, nous avons mis tout ça derrière nous et nous sommes devenus amis. Et cet hiver, il m'a embrassée pendant que je sortais avec Iohann (et ma bouche a réagi inopinément, et je l'ai embrassé aussi, avant de me sauver). Par la suite, il n'a pas été vraiment cool avec moi. Et on ne se parle carrément plus. Alors je cherche à le croiser le moins souvent possible.

J'utilise pour l'instant la technique simple de l'évitement. C'est assez facile puisque j'ai son horaire dans ma case, donc je sais à peu près où il se trouve et à quel moment. Je peux donc prendre d'autres chemins. En cas d'imprévu, j'adopte les mesures d'urgence comme changer de corridor, courir aux toilettes comme si j'avais un problème intestinal soudain ou me cacher derrière une case en mimant la recherche d'un objet perdu. Et, quand on dîne, je ne regarde vers sa table que deux ou trois fois (au lieu de douze mille). En fait, si j'en avais la possibilité, tant qu'à déménager, j'irais bien vivre dans une grotte, voilà. Ça m'éviterait d'avoir à l'affronter. Et je serais également à l'abri du reste de l'humanité ! Ce n'est pas que je n'ai pas de courage, non. J'ai seulement, disons, une autre forme de courage, style avoir la capacité de survivre dans une grotte.

12 h 53

Kat : Au, tu ne m'écoutes pas !

Moi : Oui, oui, je t'écoute, tu parlais de ton père et de son macaroni à la viande, mais qu'au lieu de la viande, il a mis des saucisses qui goûtaient dégueu.

Kat : C'était il y a dix minutes ! Je parlais du devoir de sciences physiques, là. J'aurais dû ajouter ça dans nos règles de *best* ! Que tu te dois de m'écouter quand je parle !

Moi : Trop tard, c'est scellé avec notre sang !

Tommy : Un pacte scellé au sang ? Êtes-vous au Moyen-Âge ?

Kat (qui me regarde pour me démontrer que Tommy l'énerve) : On n'a pas mis de sang, on a mis du vernis à ongles rouge, finalement, pour imiter le sang.

Tommy : Tant qu'à y être, pourquoi vous n'avez pas fait une copie pour la cacher sous un arbre au cas où vous perdriez votre original ?

Moi : Parce qu'on est... normales ?

Tommy : C'est vrai que c'est le premier mot que j'utiliserais pour vous décrire.

Jean-Félix rit.

Kat : Si tu ris de ses jokes, je casse.

Jean-Félix : Oh, Kat ! Tu ne vois pas que c'est un grand sensible qui est jaloux qu'on sorte ensemble ?

Tommy : Dans tes rêves, *man* !

Moi : Heille, si vous arrêtez pas, je m'en retourne manger avec Iohann !

12 h 57

Nous avons perdu chacun deux points de comportement pour manque de savoir-vivre parce qu'on s'est mis à parler trop fort. La honte. En plein le genre de chose humiliante à vivre devant non seulement un, mais deux ex.

Je suis tout de même contente que la mémoire soit une faculté qui oublie. Je me dis que dans vingt ans, il est impossible que je me souvienne encore de cet événement.

Jeudi 10 mai

Yé!!!!!!!!!!!!!! J'ai la job!!!!!!!!!!!!!! (J'éprouve un sentiment de fierté absolue!!!)

Bon, honnêtement, je ne vois pas pourquoi je suis si contente, après tout, ça ne me tentait pas du tout de travailler. J'y ai été forcée. C'est peut-être un truc d'orgueil. J'ai été choisie parmi tous ces candidats. Moi. Moi? Moi!!!

J'étais en train de souper avec ma mère et François (pain de viande dégueu) lorsque le téléphone a sonné. François a répondu (il le fait de plus en plus, ça m'énerve, mais il faudra que je m'y habitue, car on habitera bientôt la même maison et je ne devrai pas m'offusquer qu'il réponde au téléphone dans sa propre maison, donc, chaque fois, j'essaie de le voir comme une pratique) et il m'a passé le téléphone en disant : « C'est un monsieur. »

Là, ici, je dois m'arrêter pour dire qu'il n'a pas *chuchoté* cette phrase. Et que, donc, le monsieur en question, alias mon futur boss, a *entendu* : « C'est un monsieur. » J'essaie de me souvenir sur quel ton François a dit cette phrase et je n'arrive pas à arrêter mon choix entre « surpris » et « intrigué ». Mais peu importe le ton, je ne trouve pas ça cool que mon futur boss ait entendu le chum de ma mère dire : « C'est un monsieur. » Bon, il est vrai que de savoir que c'est un monsieur m'a fait répondre différemment que si, disons, j'avais pensé que c'était Kat. Ça n'aurait pas été très professionnel de ma part de répondre à mon futur boss : « Hé, yo, *what's up* ? ! » (Précision : Je ne dis jamais « Hé, yo, *what's up* ? ! » parce que 1) ça ne fonctionne pas avec mon anatomie faciale, 2) j'ai pratiqué souvent des phrases de début de discussion et celle-là a été rapidement rejetée et 3) je ne vis pas dans une *sitcom* américaine.) Ça n'aurait pas été très apprécié non plus, j'imagine, si j'avais répondu un peu fâchée, croyant que c'était Tommy, en disant : « C'était quoi ton rapport avec Kat ? Laisse-la tranquille ! » Mon futur boss m'aurait peut-être jugée immature et colérique et aurait peut-être changé d'avis sur mon embauche.

Alors, bon, tout ça pour dire que *peut-être* que François Blais a bien fait de me donner cette information. C'est juste que je trouve qu'il l'a fait avec trop de décibels. On *chuchote* ce genre d'information. Il me semble que c'est la logique même. Surtout que mon boss a dit :

— Eh oui, c'est un monsieur. Celui qui t'annonce que nous t'engageons pour faire des sous-marins, ce qui semble être ton rêve, selon ta demande d'emploi. Peux-tu commencer samedi ?

Bref, si François n'avait pas dit tout fort «c'est un monsieur», j'aurais peut-être — parce que je n'aurais pas eu un pré-malaise — répondu autre chose que :

– Hihihi ! Ah ben... super... Hihihi, oui, samedi. Bye... monsieur.

Arrrggggggghhhhhhhhhh !!!

Pendant tout le reste du souper, j'ai regardé François avec des yeux fâchés. Parce que je pense que c'est un peu sa faute si j'ai raté mon appel d'embauche. Car s'il n'avait pas dit tout fort «c'est un monsieur», j'aurais évidemment dit, avec une diction parfaite :

– Quelle bonne nouvelle ! Je suis ravie. Je commence quand vous voulez. À samedi !

P.-S. : Dire «ravie» aurait été aussi bizarre que «Hé, yo, *what's up?*»: Ç'aurait sonné aussi faux. Mais bon, au moins, je n'aurais pas eu l'air d'une nouille.

P.P.-S. : François et ma mère n'ont pas compris mon air fâché après l'annonce d'une si bonne nouvelle. J'ai préféré ne pas leur expliquer que, lorsque je reçois un appel, je préfère avoir la surprise de mon interlocuteur, ou que son identité me soit divulguée plus discrètement. Il faut dire que ma mère s'est vite emballée et qu'elle me voit déjà actionnaire de la compagnie, avant même que j'aie commencé. Je trouvais donc qu'expliquer mon point de vue sur le niveau de décibels acceptable lorsqu'on transmet une information était hors sujet.

Samedi 12 mai

Ouf! Je crois que je vis le plus grand stress de ma vie. Je ne sais pas si mon corps pourra suivre la cadence! Je ne savais pas que travailler dans un restaurant de sous-marins frôlait l'esclavage. (Et, surtout, je n'ai pas fait cette blague à ma première journée de travail, car je crois que ç'aurait été mal perçu par mes collègues.)

Moi qui croyais que ma tâche serait de faire les sous-marins! Que j'apprendrais à faire les meilleurs sandwiches de l'univers! Mais... non. Mon rôle est de faire les sous-marins, certes, quand il y a des clients. À la vitesse de la lumière, sans me tromper. Puis de faire payer le client. Apprendre comment fonctionne une caisse enregistreuse est en soi un véritable casse-tête! Et ce n'est pas tout! Je dois aussi nettoyer le comptoir, faire du pain, tenir un inventaire des ingrédients, aller vérifier si les toilettes sont propres, passer le balai, la vadrouille, ramasser les plateaux sur les tables, nettoyer les tables.

Bon, évidemment, je ne suis pas la seule employée (fiou, car je serais carrément en *burnout* après trois heures), mais cela fait partie de mes tâches.

Je regarde la photo de l'employé du mois au mur en me disant que ce n'est pas demain la veille que je me retrouverai là.

L'employé du mois, ce mois-ci, est Carolynne Tremblay. Je l'ai rencontrée en entrant. Elle semblait gentille, quoiqu'un peu agitée.

Quand je suis arrivée, j'avais la gorge sèche tellement j'étais nerveuse. Ma mère m'avait dit de regarder tout le monde dans les yeux, mais j'en étais pratiquement incapable. Le boss (celui du téléphone, monsieur Lalonde) m'a accueillie en me tendant un uniforme et en m'informant du prix dudit uniforme. J'ai dû mettre une casquette (dommage, car je n'ai vraiment pas une tête à casquette, alors j'ai l'air d'un pêcheur égaré) et on a confié à Geneviève Arsenault le soin de faire ma formation. Et je dois dire qu'elle n'est pas vraiment, disons, patiente. Je dirais même qu'elle est, disons, agressive.

Comme quand elle m'a appris à faire l'inventaire. Nous étions à l'ordinateur du bureau. Elle parlait fort et n'arrêtait pas de mettre et d'enlever compulsivement le capuchon de son crayon, à l'aide de son pouce. Si bien que pendant que j'essayais de comprendre ce qu'elle disait, tout ce que j'entendais, c'était le « tac-tac-tac-tac » de son geste.

À un moment donné, elle m'a raconté que plusieurs données ont été perdues parce que le fil de l'ordinateur s'est brisé. Je voulais lui demander comment son fil brisé avait court-circuité un ordinateur, question de protéger celui de ma mère et de ne pas perdre des travaux scolaires importants, alors j'ai demandé :

– Qu'est-ce que ça fait, le fil...

Elle m'a interrompue, toujours en capsulant et décapsulant son crayon, pour dire :

– Ça sert à brancher ton ordi.

J'étais tellement sous le choc qu'elle me juge aussi imbécile que j'ai été incapable de compléter ma phrase, ce qui aurait justifié ma question et prouvé mon intérêt pour l'informatique.

15 h 03

Quand il y a eu moins de clients, Geneviève m'a dit que, dans une période plus calme comme ça, le mieux est de faire le ménage. Comme vérifier les toilettes, passer le balai derrière le comptoir, nettoyer les éviers ou encore remplir les machines distributrices. J'allais donc remplir les machines distributrices lorsque j'ai vu Nicolas entrer dans le restaurant.

Voyant qu'il arrive, je place toutes les boissons dans la machine distributrice à une vitesse folle, j'enfonce ma casquette sur ma tête et je cours le plus rapidement possible vers les toilettes pour m'y cacher, sans regarder où je vais.

15 h 04

J'entre dans les toilettes, verrouille la porte et m'appuie dessus, en tentant d'écouter ce qu'il commande. Même si je sais exactement ce qu'il commande comme sous-marin. Il prend toujours celui aux côtes levées. Il y ajoute de la laitue, des tomates, des cornichons et des piments forts. Il demande la sauce BBQ. Et ne veut ni sel ni poivre. Et même quand il mange ça, son haleine reste parfaite. Parce qu'après son sous-marin, il mange de la gomme au melon. Et... voyons?! Qu'est-ce qui me prend d'avoir un soupçon de nostalgie en pensant à lui?

Un jour, j'irai parler dans le casque à mon cerveau. Et je lui dirai: « HEILLE! »

Bon, pour l'instant, je n'ai pas vraiment d'autres arguments, alors tout débat avec mon cerveau est remis à une date indéterminée. Parce que, dans les débats, les interjections et/ou onomatopées ne sont jamais très convaincantes.

15 h 05

Et s'il m'avait vue ? Oh, j'espère que non... 1) parce que je me suis sauvée et que ça fait franchement immature et 2) parce que, en me regardant dans le miroir, qui est juste en face de la porte sur laquelle je suis appuyée, je réalise que j'ai l'air complètement ridicule avec mon uniforme de travail. Pour tout dire, avec les cheveux attachés et cachés sous ma casquette, je me trouve une vague ressemblance avec Woody, dans *Toy Story*, ce qui n'est pas un atout à proprement parler, considérant que je ne suis pas un cow-boy dans la quarantaine.

15 h 14

En me regardant comme ça, oui, j'ai peut-être un peu l'air d'un monsieur. Je n'ai pas vraiment de seins ni de grande féminité apparente et j'ai le nez d'un clochard qui aurait bu trop d'alcool (car il est souvent rouge et sa proéminence lui donne un air enflé). Mais quelle idée de mettre des néons dans cette salle de bain ? C'est épouvantable, les couleurs ! Je ne serais pas surprise qu'au moins un client sur dix qui entre dans cette salle de bain se fasse par la suite diagnostiquer une dépression ! (Disons, pour moins exagérer, un sur vingt-cinq.)

15 h 15

Je commence à regarder au plafond (pour ne pas voir mon reflet trop épouvantable sous cet éclairage). Je remarque les tuiles carrées. Je me demande soudainement comment les personnages des films d'espionnage font pour voyager dans les conduits d'aération. Peut-être que je pourrais me sauver comme ça? Ensuite, je pourrais entrer par la porte de la cuisine et faire croire que j'étais partie prendre l'air ou quelque chose du genre. Et si on me disait: « Mais on t'a vue entrer dans les toilettes », je n'aurais qu'à répondre: « Tu n'as pas dû me voir sortir », et je passerais pour une fille mystérieuse.

15 h 16

Si ma photo d'employée du mois était au mur, on me décrirait peut-être même comme ça, comme l'employée mystérieuse. Assez cool.

15 h 17

Je monte sur la toilette et je tente de pousser une tuile (j'ai une musique de film d'espionnage dans la tête). La tuile est vraiment collée. Pourtant, dans les films d'espionnage, ça s'enlève tout seul comme si c'était simplement déposé là. Je pousse de toutes mes forces. Rien à faire.

Note à moi-même: Les films d'espionnage exagèrent vraiment les scènes de fuite par conduit d'aération.

À l'agenda: Dénoncer cette invraisemblance.

15 h 18

Geneviève frappe à la porte des toilettes et me demande si je vais bien. (Ce qui m'a fait sursauter tellement j'étais concentrée à essayer de pousser la tuile, et j'ai failli tomber dans la toilette.)

Le problème, c'est qu'elle a dit ça comme ça : « Aurélie, ça va ? » J'ai donc prié pour que Nicolas soit parti et/ou qu'il n'associe pas mon prénom à moi (après tout, il y a d'autres Aurélie dans le monde, alors si quelqu'un prononce mon nom, ça ne veut pas dire qu'il s'agit nécessairement de *moi*...).

15 h 19

Je déverrouille la porte et je l'entrouvre pour regarder si la voie est libre. Geneviève apparaît, ce qui me fait sursauter une seconde fois. (J'ai peut-être un peu les nerfs à vif.)

Geneviève : Qu'est-ce qui se passe ?

Moi (cherchant vite une raison à mon comportement) : Euhm... c'est que... euh... Je crois que... j'ai eu des problèmes... gastriques... et je ne voudrais pas que...

Geneviève : Je comprends. Tu ne veux pas que j'entre dans les toilettes parce que ça pue. Regarde sous l'évier, il y a un vaporisateur très efficace à l'orange. Ça tue vraiment les odeurs.

Oh. Mon. Dieu. J'ai honte. Tellement ! ! ! ! (Mais c'était ça ou : « Je tentais de faire comme dans les films d'espionnage » et, en fin de compte, je préfère l'option que j'ai choisie...)

Moi : Euh... y a-t-il encore des clients dans le restaurant ?

Geneviève : Non, le *rush* est fini.

P.-S. : Une chance que je n'ai pas *réussi* à pousser la tuile. Ç'aurait été trop louche de sortir des toilettes et de laisser un trou dans le plafond.

16 h 57

Je suis passée chez Kat après mon travail pour lui raconter. Que j'ai vu Nicolas. Que j'ai couru aux toilettes. Que mes collègues me voient maintenant comme la fille-qui-a-eu-un-problème-gastrique-au-point-que-je-voulais-que-personne-n'entre-dans-les-toilettes-tellement-ça-puait. Que mon boss m'a fait venir dans son bureau pour me dire qu'il était assez irresponsable de se présenter à un travail en restauration quand on croit avoir un virus. Qu'il ne me mettait pas à la porte (ce que je lui ai demandé et que j'aurais sincèrement souhaité), mais qu'il préférait que je ne vienne pas travailler demain et qu'on se reprenne « quand j'irais mieux ». (Je n'ai rien dit concernant l'éclairage des toilettes, jugeant que ç'aurait peut-être été un abus de ma part.) Elle a ri à s'en faire – et je cite – « de nouveaux muscles dans l'abdomen ». Et elle a dit, entre deux éclats de rire :

– Mais pourquoi tu n'as pas dit que tu changeais de tampon???!!!

J'avoue que ç'aurait été beaucoup moins gênant. Il y a parfois des évidences qui m'échappent.

20 h

Un jour, on me demandera : « Quels ont été vos traumatismes d'enfance ? » Et je répondrai sans aucun doute : « Ma mère m'a obligée à travailler. » Je me rappellerai très bien (avec ma mémoire visuelle infaillible) qu'elle m'a poussée dans la voiture et emmenée de force dans un magasin pour que je donne mon nom. Et dans un resto. Et dans un camp de vacances. Et dans toutes les entreprises du quartier.

Il y a des organismes internationaux qui se sont battus pour qu'il n'y ait pas d'enfants qui travaillent dans des pays en voie de développement. Ma mère, quant à elle, a jugé adéquat de m'obliger à travailler (et ce, malgré mes études) pour développer mon sens des responsabilités. Tsss!

Note à moi-même: Tenter de contacter ces organismes. État: urgent.

Dimanche 13 mai

Ma mère est entrée en hurlant dans ma chambre! Un peu plus et je croyais que le son strident allait ameuter tous les chiens du quartier. Et pourquoi elle paniquait comme ça? Juste parce que, selon elle (et son opinion est total discutable, à mon avis), je ne change pas assez souvent la litière de Sybil. Pfff! Je la change TRÈS souvent! Au moins, euh... chaque fois que j'y pense! (Il faut dire que j'ai tant de choses en tête que je ne tiens pas un journal de *toutes* les fois où je ramasse les besoins de ma chatte.)

Elle m'a fait tout un sermon comme quoi c'est bien beau de vouloir un animal, mais qu'il faut qu'on s'en occupe et blablabla. Que je le lui avais promis et blablabla. Que ses vêtements sont toujours pleins de poils et que c'est un sacrifice pour elle d'avoir accepté de prendre un animal, mais que maintenant, en plus d'avoir toujours du poil sur ses vêtements, elle trouve que ça pue dans toute la maison et blablabla. Etc., etc., etc.

Elle m'a lancé tout ça (avec beaucoup d'énergie, j'aimerais le préciser) alors que j'étais dans un profond sommeil. Alors, mon attention était, disons, assez embrouillée. Sybil, quant à elle, était collée sur ma jambe droite et continuait de dormir, mais secouait une oreille de temps en temps, quand ma mère parlait plus fort. (J'espère qu'elle n'a pas rendu ma chatte sourde!!!)

8 h 54 (heure inhumaine pour obliger quelqu'un à changer une litière)

Je change la litière de Sybil. Chaque fois que je fais ça, ma chatte me regarde et, aussitôt que sa litière est propre, elle saute dedans pour faire un besoin. Comme pour détruire mon beau travail. Comme si le fait que sa litière soit propre lui donnait envie de faire pipi ou caca. Donc, je passe cinq à dix minutes à tout nettoyer, à changer le sac et à mettre de la nouvelle litière, et je dois en plus ramasser un dernier besoin alors que je suis supposée avoir fini. Grrr. Ce matin, je crois que tout le monde s'est passé le mot pour que mon réveil soit brutal et que ma journée soit épouvantablement ratée. J'ai dit à Sybil, sur un ton hyper fâché :

— Arrrrgggghhhhh! Es-tu obligée de faire tes besoins *après* que j'ai terminé de changer ta litière??!!!

9 h 15

Sybil me boude. J'ai essayé de lui donner une gâterie à saveur de poisson ; elle l'a mangée mais me fuit quand même.

Note à moi-même : À partir d'aujourd'hui, je hais les dimanches. Officiellement. Tenter de faire disparaître cette journée du calendrier.

10 h

Me rappelant soudainement que c'est la fête des Mères, j'entre dans la chambre de ma mère après avoir frappé à la porte (pour lui montrer l'exemple, elle qui le fait si rarement), avec la carte et le cadeau que je lui ai achetés. Je la vois en train de faire des boîtes et je dis :

– J'ai changé la litière.

Ma mère : Merci. J'espère que dans la nouvelle maison, tu vas faire mieux.

Moi : Qu'est-ce que ça change ?

Ma mère : On prend un nouveau départ.

Je respire. Quand la colère monte, par rapport au déménagement, je ravale tout : mon opinion, mes pensées, ma tristesse, mes frustrations. Je crois que je gère tout à fait bien ça. Et je me concentre sur les points positifs (irradier de bonheur et m'améliorer en mécanique).

Moi : Je t'ai apporté un cadeau. Bonne fête des Mères !

Ma mère : Oh, merci, ma puce.

Elle déballe mon cadeau. C'est du nouveau parfum pour sa lampe Berger.

Moi : C'est pour la nouvelle maison.

Ma mère : Oh, c'est vraiment gentil, ma belle !

Elle lit ma carte. C'est une carte humoristique, je ne *feelais* pas trop pour de grandes émotions. Malgré tout, elle a les larmes aux yeux. (J'ai juste signé « Je t'aime, Aurélie xxx ». Ça ne lui prend pas grand-chose...)

Ma mère : Je m'excuse d'avoir crié tantôt. Je pense que je suis un peu sur les nerfs avec ce déménagement.

Moi : C'est pas grave. Je m'excuse... pour la litière. C'est vrai que je t'avais promis juré que je m'en occuperais et, des fois, j'oublie. On dirait que le temps passe super vite...

Ma mère (qui recommence à faire ses boîtes) : On oublie ça, OK ? Et puis, tu as raison, le temps passe vite, j'avais oublié que c'était la fête des Mères. D'ailleurs, peux-tu me faire penser d'appeler grand-maman, tantôt ?

Je déteste quand ma mère fait ça. Elle me dit de penser à quelque chose à sa place. Comme si ce n'était pas assez important pour sa tête à elle, mais que c'était correct pour la mienne.

Moi : Ben... appelle-la tout de suite.

Ma mère : Ben oui, bonne idée ! Passe-moi le téléphone s'il te plaît. (Parfois, je me demande si les adultes font des enfants pour avoir des esclaves... M'enfin.)

J'étends mon bras et je lui passe le téléphone pendant qu'elle place une paire de souliers dans la boîte.

10 h 26

Je suis assise sur le lit de ma mère et je joue avec des trucs qui traînent lorsqu'elle me conseille de faire des boîtes moi aussi. Je lui réponds que je trouve ça peut-être un peu tôt. (Après tout, le déménagement est dans un mois et demi, il peut se passer bien des choses d'ici là, par exemple qu'elle change d'avis.)

Ma mère : Est-ce que tu veux quelque chose, ma belle ? Parce que tu es un peu dans mes jambes. J'aimerais ça faire ça. À moins que tu m'aides.

Moi (en me levant) : Bon, c'est beau, je m'en vais, d'abord !

Ma mère : C'est pas ça que je voulais dire, mais si tu restes, fais quelque chose.

10 h 32

Je ramasse quelques bibelots et je les emballe dans du papier journal. (C'est la fête des Mères après tout, alors je fais l'activité qui lui fait plaisir.) Ma mère tient à ce que je les époussette avant. Elle dit que comme ça, lorsqu'on défait les boîtes, ils sont propres et on peut tout de suite les placer (personnellement, je trouve ça illogique, car puisqu'ils sont emballés dans du papier journal, ils seront sales, parce que ça tache, ce papier, mais bon, je ne m'obstine pas).

Pendant que j'époussette, je me demande quelle raison je pourrais invoquer pour ne pas déménager.

• Maison bâtie sur un ancien cimetière, donc possibilité de présence maléfique ?

• Quartier qui servait secrètement à des expériences nucléaires ?

• Rue introuvable sur Google Earth, donc si elle n'est pas digne de ce site, pourquoi serait-elle digne de nous ?

• La maison est peut-être l'héritage secret d'une lointaine descendance d'un précédent habitant et nous devrons être délogés par ordre de la Cour lorsque ce sera découvert?

Moi: Maman... j'ai quelque chose à te demander... Est-ce que je pourrais retourner chez grand-maman Laflamme, cet été? Juste deux semaines? Pas longtemps! S'il te plaît! S'il te plaît! Je m'ennuie d'elle!

Ma mère: Aurélie, on a déjà parlé de ça! On déménage. Ce serait le fun de vivre ça ensemble. Aussi, mes parents aimeraient beaucoup qu'on aille au camping avec eux. Ce serait le fun de pouvoir passer du temps tous ensemble. Tu peux aller chez ta grand-mère quand tu veux, mais là, j'aimerais ça qu'on se concentre sur notre famille.

Moi: Ben, grand-maman, c'est ma famille.

Ma mère: Ce n'est pas ça que je voulais dire... C'est juste que j'aimerais ça qu'on passe du temps ensemble, toi, François et moi. OK? Je sais que le déménagement te rend nerveuse, mais je suis sûre que tu vas aimer ça! On se force pour te faire une chambre que tu aimeras dans le sous-sol, comme tu voulais. Décorée *lounge*, comme tu nous l'as demandé. Tu vas être super bien.

Effectivement, ma mère et François m'ont demandé ce que je voulais comme chambre et je leur ai montré un article déco du *Miss Magazine*, que j'ai choisi avec Kat. Ma chambre sera blanche, mauve (Kat et moi appelons cette couleur «violet du cosmos») et rose. Avec un nouveau couvre-lit dans ces teintes. Comme le sous-sol est grand, j'aurai un petit coin salon, et on m'a acheté un futon qui s'harmonise au reste. Et ma mère m'a dit que ce serait pratique lorsque je reçois des amis à coucher. Bref, je n'ai à me plaindre de rien, à part de cette pression sur mon cœur que je ressens quand je pense au déménagement.

Ma mère me regarde et me dit, en me faisant un clin d'œil :

– En plus, la litière sera dans la salle de lavage, alors je la verrai moins souvent, et puisqu'elle est dans le sous-sol, c'est seulement toi que ça pourra déranger au bout du compte.

Avantages reliés à mon déménagement :

• approfondir mes connaissances en mécanique ;

• irradier de bonheur (par effet de répercussion) ;

• moins de chicane avec ma mère au sujet de la litière.

Pendant que je frotte un bibelot vraiment archilaid et que je me demande pourquoi ma mère prend la peine de le déménager, elle me dit :

– Oh, Aurélie, fais-moi penser à te montrer comment faire le lavage tantôt. C'est le temps que tu l'apprennes et, si jamais je ne suis pas capable d'aller dans notre future salle de lavage parce que ça sent trop la litière, je pourrai te donner corvée de lavage.

Argh (X 1000).

Mardi 15 mai

Pendant que François lit son journal, je lis le dos de la boîte de céréales. En fait, je connais le texte par cœur, car c'est, disons, ma lecture matinale. François essaie de me passer des sections du journal, mais ça ne m'intéresse pas vraiment. Et, pour qu'il me laisse tranquille, je feins d'être très occupée à étudier le processus de fabrication de mes céréales. « Tous nos grains sont choisis avec soin, blablabla... »

Je me demande pourquoi ils prennent la peine d'écrire ça. Il me semble qu'il serait peu probable qu'une compagnie connue ne prenne pas grand soin à choisir ses grains de céréales... D'un autre côté, comment font-ils pour choisir « avec soin »? J'imagine que ce sont des moissonneuses-batteuses qui font les récoltes (et on parle de machines ici, et non de madames), donc, les machines ne peuvent, théoriquement, « choisir » les grains. Elles ramassent tout! Une fois arrivés à l'usine, les grains sont-ils alors sélectionnés par des employés? Si tel est le cas, et qu'ils sont payés à l'heure, font-ils leur travail rapidement ou lentement? S'ils le font lentement, je comprends pourquoi ils écrivent « avec soin » sur la boîte, mais si les employés travaillent rapidement, comme c'est souvent le cas dans les usines (ben, j'imagine... Qu'est-ce que j'y connais à part ce que j'ai vu dans certains films américains? Et mes céréales sont bel et bien américaines, donc ma référence n'est pas si nulle), ils n'ont pas vraiment le temps d'être si minutieux. Bref, je crois que ça doit bien faire plus de vingt fois que je lis ma boîte de céréales, et je conclus que ce qui est écrit est très romancé. C'est fait juste pour qu'on imagine des monsieurs à chapeau (comme l'illustration) se promener dans des champs de blé et s'agenouiller devant un bel épi tout doré par le soleil et se dire : « Oh ! que ça ferait des bonnes céréales, ça ! », et le cueillir pour le mettre dans son sac en paille (encore une fois, comme sur l'illustration).

7 h 55

François prend une gorgée de café et rigole en me racontant une nouvelle lue dans le journal. Je lui parle quant à moi de ma théorie sur l'exagération du « choisi avec soin » pour les céréales et il dit :

– C'est du marketing. C'est ce qu'on fait, ta mère et moi. On embellit un peu, on enrobe, on pense à des concepts pour séduire les consommateurs.

Je le regarde et, dans ma tête, je me dis que c'est exactement ce qu'ils font avec moi concernant la nouvelle maison. Mais autant je suis sceptique au sujet de ce qui est écrit derrière ma boîte de céréales, autant je ne suis pas dupe pour la nouvelle maison. Je sais parfaitement que ce ne sera pas le paradis. Et je sais parfaitement ce que je perds : la maison de mon enfance, où j'ai habité avec mon père.

Je souris faiblement à François avant de me replonger dans la lecture de ma boîte de céréales. Cette fois, je me penche sur les bienfaits vitaminiques du produit.

Note à moi-même : Je comprends pourquoi il y a une loi qui interdit la publicité destinée aux mineurs. Les gens qui travaillent en marketing sont des êtres extrêmement manipulateurs et machiavéliques (après avoir lu les bienfaits vitaminiques de mes céréales, j'ai l'impression que tout autre aliment est totalement superflu).

8 h 01

Ma mère arrive près de la table et s'extasie devant l'image qu'elle voit, c'est-à-dire François-en-train-de-lire-son-journal et moi-en-train-de-lire-ma-boîte-de-céréales. Elle n'arrête pas de dire qu'elle a hâte de déménager. Qu'on aura une belle vie, etc., etc. Sa (trop) bonne humeur me tape sur les nerfs. Je souris, mais je ne parle pas en mettant ça, par gestes, sur le compte de ma bouche pleine de céréales.

Je sens soudainement que j'ai peut-être des talents innés en marketing et je me dis que, parfois, ça peut servir (pour avoir la paix quand on a l'air de participer à la « dynamique familiale », expression surutilisée par Lynne, la belle-mère de Tommy).

8 h 02

Si jamais je rencontrais par hasard un génie (comme dans *Aladin*) et qu'il m'offrait de réaliser trois souhaits, je lui demanderais de faire en sorte que je ne ressemble jamais à ma mère. On dirait que, depuis le décès de mon père, la seule chose qui la fait sourire est sa vie amoureuse. Pas trop *hot*.

Note à moi-même : Penser à d'autres souhaits à formuler à un génie. Ça ne me vient pas pour l'instant, sûrement parce que je suis *consciente* que les génies n'existent pas, mais juste au cas où.

10 h 05

Mon prof de sciences physiques, monsieur Gagnon, n'est pas choyé, « capillairement » parlant. Il est à demi-chauve, mais il n'assume pas sa calvitie et la camoufle avec une partie de ses cheveux qu'il a laissé pousser et qu'il place de façon stratégique sur sa tête. Étrange coiffure.

Il nous parle de conservation et de transformation de la matière pendant que nous devons noter la réaction du carbonate de calcium avec l'acide chlorhydrique.

Monsieur Gagnon : Selon la loi de la conservation de la matière, rien ne se perd, rien ne se crée. Dans toute réaction chimique, on ne peut gagner ni perdre des atomes. Cependant, le nombre de molécules ainsi que le nombre de moles peuvent varier puisque l'agencement des molécules donne des produits différents des substances en réaction. Donc, rien ne se perd, rien ne se crée, tout se transforme.

Je crois que j'aime beaucoup les sciences. Je me verrais très bien dans ce domaine. Je dois bientôt faire mes choix de cours pour l'an prochain. Et j'hésite entre arts et sciences... Choix difficile.

10 h 15

J'ai peut-être été un peu distraite par mon avenir (ou par la coiffure de mon prof), je ne sais pas trop ce que j'ai fait – je crois avoir mis un autre produit –, mais mon expérience a fait une mousse énorme qui a débordé de mon éprouvette et s'est répandue sur tout mon espace de laboratoire… Quelques personnes ont ri et mon prof a fait une blague sur le fait que je semblais vouloir le devancer sur l'apprentissage des réactions chimiques… Évidemment, si mon cerveau avait eu un bon sens de la répartie, j'aurais trouvé une réplique frôlant le génie, ce qui aurait fait rire toute la classe et aurait confirmé mon choix vers les arts (profil : humoriste), mais mon cerveau ne fonctionne pas comme ça, non. Malheureusement. Surtout pas en période de stress.

Parfois, il y a des évidences. Comme celle de faire rater une expérience scientifique en quatrième secondaire. C'était certain que ça allait m'arriver. C'est pour ça que je n'ai (presque) pas eu honte. Je commence à me connaître. Soupir.

20 h

Tout s'est bien passé. Oui. Le fait d'avoir été humiliée en sciences physiques m'a permis d'être tellement absorbée par cet événement que lorsque j'ai croisé Nicolas, un peu plus tard dans la journée, et qu'il m'a affiché son air bête habituel, ça ne m'a *absolument* rien fait. Nous sommes tombés face à face dans le corridor et il n'y avait aucune issue de secours (j'ai même vérifié le plafond pour les conduits de ventilation). J'ai cru qu'il m'avait fait un sourire, mais je ne peux le confirmer et je n'ai aucun témoin de cet événement.

Je crois que, finalement, il y a de l'espoir pour mon cerveau (et pour mon cœur). Je vais réellement me concentrer sur moi et sur les choses importantes de la vie : études et nouveau travail. Oui. Je deviendrai sûrement une de ces femmes qui mettent toutes leurs énergies sur leurs études pour ensuite se concentrer sur leur carrière. J'ai remarqué récemment (la semaine passée) que la vie scolaire me fait souvent ressentir de réels moments de bonheur profond. Bon, « souvent » est peut-être un peu fort. Disons que « parfois » serait le terme le plus approprié. En fait, pour être parfaitement franche, il s'agit de *deux* moments bien précis : 1) la semaine dernière, quand Maude, ma prof de maths, m'a dit qu'elle était vraiment fière de mes récents résultats et 2) quand Sonia, ma prof de français, m'a fortement incitée à participer à un concours intercollégial de poésie après avoir lu une de mes nouvelles compositions, que j'ai remise en français (un truc rigolo sur l'écologie que j'avais écrit en quelques minutes. OK, quelques heures. Mais quand même !). Je dois cependant préciser que ce deuxième moment a été un peu gâché lorsqu'elle nous a annoncé que l'examen oral (ce que je déteste) final porterait sur l'analyse d'un livre ou d'un texte de notre choix.

Donc, finalement, il s'agit en réalité d'un moment et demi de bonheur profond. Mais quand même, pour quelque chose comme l'école, je considère que c'est beaucoup. Tout est une question de proportion.

20 h 11

Pfff! Nicolas! On s'en fout tellement de lui! Est-ce qu'il participe à un concours de poésie, lui? Non!

20 h 45

Stress, stress, stress. Je dois étudier pour un test d'anglais (qui déterminera notre compréhension générale de l'anglais par des questions qui ne nous sont pas révélées à l'avance). Ma mère m'a suggéré de toujours répondre, peu importe les questions, avec quelque chose que je connais et que j'aime. Hum... pas fou.

20 h 48

Voyons, je n'arrête pas de voir des images de Nicolas (et de son sourire) tournoyer dans ma tête, ce qui m'empêche d'étudier.

20 h 49

Je pense que j'ai peut-être une maladie neurologique ou un truc du genre.

20 h 51

Je n'ai trouvé aucun des symptômes que je ressens sur Wikipédia dans la section « maladies neurologiques ».

20 h 55

Je suis maintenant la fondatrice d'une nouvelle secte. La secte des célibataires.

20 h 57

Nouveau membre: Tommy.

21 h 01

Depuis la fondation de ma secte, je sens que j'étudie mieux.

21 h 50

Kat m'a appelée et, en parlant au téléphone, on naviguait sur les sites Internet de groupes de musique qu'on aime et on cherchait des activités qu'on aimerait faire cet été.

J'ai donc écouté le conseil de ma mère et je n'ai visité que des sites anglophones de trucs qui me passionnent. Je me sens de plus en plus connectée avec le fonctionnement du système d'éducation. C'est ce qui arrive quand on se concentre sur les choses importantes.

Mercredi 16 mai

Test d'anglais - compréhension générale
Aurélie Laflamme
Groupe 3
Professeure : Anita Fernandez

Part 1. Summer vacations.

1) What is your favorite summer sport?
I like water slides. It's fun. And when it's hot (outside), it is refreshing.
2) What will you do this summer?
If it's possible, I will go to the water slides.

3) What is your best summer memory?
When I went to the water slides.

4) Will you be happy, at the end of the summer, to start on your last year of high school?
I will be happy to start on this last year of high school but I will not be happy that the summer (and the water park) end.

5) What does this last year of school represent for you?
My last year of school represents a lot of hard work to do, so I better enjoy myself a lot this summer in the water slides.

Jeudi 17 mai

Diane Séguin, notre prof d'art dramatique, nous a présenté notre projet de fin d'année. Nous devons faire un théâtre de marionnettes. Il faut écrire un scénario, fabriquer nos marionnettes et aller présenter notre sketch dans une garderie.

Kat et moi nous sommes évidemment mises en équipe ensemble. Chaque fois qu'on se fait présenter un travail d'équipe, on se regarde toujours rapidement et on se fait signe que oui de la tête, pour être certaines de nous « réserver ». (Comme si nous allions nous mettre en équipe avec d'autres, tsss !)

14 h 05

Il fallait qu'on se mette en équipe de quatre, alors on a décidé de se mettre avec Marielle Gendron et Laurie Morin-Pagé. On ne les connaît pas beaucoup, mais elles ont l'air sympathiques, on s'entendra bien.

16 h

Sur le chemin du retour, quand j'ai dit à Tommy avec qui on était, il m'a avoué qu'il trouvait que Laurie était *cute*. Je lui ai demandé s'il voulait quitter la SDC (secte des célibataires) et il a dit :

– Non. J'ai juste dit qu'elle était *cute*.

Ah.

Et là, il a ajouté :

– Tu n'es pas sérieuse avec ton affaire de secte ?

Moi : Ben... euh... C'était seulement pour voir si j'étais toute seule à trouver les histoires d'amour inutiles et grandes consommatrices de temps et d'énergie, et je me disais qu'avant la fin de l'année, on devrait s'affranchir de ce qui cause un débalancement hormonal, genre. Mais je trouvais que ça faisait long comme nom.

Tommy (en me regardant avec un sourire en coin) : Je ne sais pas trop si tu es sérieuse ou si tu niaises.

Moi : Ben... moi non plus en fait !

On a ri et on a parlé de musique jusqu'à ce qu'on se sépare, une fois arrivés à nos maisons.

Vendredi 18 mai

Ouf! Le temps passe vite! J'en suis déjà à la fin de la semaine et je dois travailler.

Kat et Jean-Félix ont dit qu'ils allaient au cinéma. Tommy travaille lui aussi. Alors, on se sentait un peu rejets de ne pas pouvoir y aller avec eux.

Je me sens un peu stressée de retourner travailler après ce qui s'est passé l'autre jour. (D'ailleurs, je pense à mettre au point ma tentative de me sauver par les conduits de ventilation... Ça pourrait s'avérer pratique un jour, style lors d'un incendie.)

19 h 10

Désormais, j'aurai un respect sans bornes pour les gens qui travaillent en restauration rapide. Les clients sont extrêmement exigeants sur ladite rapidité et n'hésitent pas une seconde à déverser leur stress sur les employés. Ce soir, j'étais particulièrement mêlée. C'est seulement la deuxième fois que je travaille ici, et, ce que j'ai appris la dernière fois, je l'ai carrément oublié (aucunement ma faute, malgré quelques bons coups de ma mémoire, mon problème est total héréditaire, comme j'en ai souvent fait part au médecin qui m'a expliqué qu'aucun médicament n'existait encore pour l'Alzheimer précoce).

Je n'ai pas de munitions pour répliquer aux insultes. Ç'a toujours été comme ça. Lorsque Tommy m'insulte, il se rend compte qu'il est allé trop loin seulement quand les larmes me montent aux yeux. Et après, il dit : « Laf, Laf ! Voyons ! Tu le sais que je niaise ! »

Ça vient peut-être de mon enfance...

Un certain samedi, il y a une dizaine d'années

Je jouais avec une amie de la famille, Laura-Lee, que je n'ai plus vraiment revue depuis la mort de mon père. Ses parents étaient un couple d'amis de mes parents et, lorsqu'ils passaient du temps ensemble, Laura-Lee et moi devions jouer toutes les deux. Elle était assez, disons, boss des bécosses, et je devais faire tout ce qu'elle voulait ! Si bien que, parfois, je me fâchais et je la traitais de tous les noms. Évidemment, nous étions jeunes. Alors, mes insultes étaient de l'ordre de « Tu n'es qu'une grosse bobette ! » et « Tu pues ! ». Une fois, mon père m'a entendue la traiter de « grosse bobette » (insulte suprême, semble-t-il, car elle a pleuré toutes les larmes de son corps, ce que, personnellement, je trouvais carrément exagéré, compte tenu que je lui avais lancé cette insulte parce qu'elle avait dit que j'étais du gazon jauni).

Puis, mon père, devant Laura-Lee, m'a dit que les insultes n'étaient pas tolérées dans notre maison. Que je devais avoir du respect pour nos invités et qu'il n'accepterait pas que je traite mes amies de «grosses bobettes». J'avais tenté de lui expliquer qu'elle me traitait elle aussi de tous les noms et que j'essayais seulement de me défendre, mais il n'avait pas voulu écouter mes explications et il m'avait suggéré de trouver d'autres moyens de défense.

Retour à aujourd'hui, 18 mai, 19 h 14

Voilà. Dix ans plus tard, je n'ai toujours pas trouvé la bonne façon de me défendre. Si bien qu'aujourd'hui, lorsqu'un client m'a demandé une tarte au sucre et que je lui ai donné (totalement par inadvertance) une tarte à la citrouille (les couleurs des deux garnitures se ressemblent tellement, c'est facile de se mêler), et qu'il m'a dit : «En tout cas, les tartes ne sont pas juste dans les assiettes!» j'ai seulement été bouche bée. Je n'ai pas su quoi dire du tout. (Je suis allée me cacher à la cuisine pour appeler Tommy à la station-service et il a simplement ri de la blague du client – total insensible).

Par la suite, j'étais tellement déstabilisée par cette phrase que j'ai échappé tout un bac de verres. Personne n'a rien dit et tout le monde m'encourageait en me disant que ça leur était tous arrivé.

Mais je me sentais tellement mal et j'étais tellement déstabilisée que, quelques minutes plus tard, j'ai fait payer une cliente par Interac, mais aussitôt que j'ai passé sa carte, je lui ai dit au revoir, oubliant d'attendre que la transaction soit acceptée, et quand je l'ai réalisé, alors qu'elle venait de quitter le restaurant, bien que j'aie prié les dieux de toutes les religions pour que la transaction soit acceptée, elle a été refusée. Quand Geneviève a vu ça, elle m'a crié :

– Mais t'es dinde ou quoi ?

Et je n'ai eu que le souffle coupé. J'aurais voulu dire quelque chose que j'en aurais été incapable. Même sans vouloir répondre directement à la question en répliquant : « Non, je ne suis pas dinde », ou quelque chose pour me défendre (quelque chose qui me viendra plus tard, évidemment, vu que je fonctionne à retardement pour ces choses), cela aurait été impossible à cause de mon souffle coupé.

J'ai donc fait perdre ce soir 11,21 $ au restaurant qui m'embauche. Sans compter les verres. Ainsi que la tarte que le client a retournée après en avoir mangé une bouchée et qu'il n'a pas voulu payer à cause de mon erreur.

Note à moi-même : Ce soir, j'ai été traitée de dinde et de tarte. Si on m'avait traitée de nouille et de légume, j'aurais été un repas complet.

Note à moi-même n° 2 : Je tiens mon père personnellement responsable de mon incapacité à me défendre.

P.-S. : C'est bizarre, mais je lui en veux un peu... Peut-on être fâché contre un mort?

P.P.-S. : Oui, je suis carrément fâchée. (J'ai d'ailleurs rangé mon *scrapbook* dédié à lui, ainsi que la photo de lui que j'ai sur ma table de chevet.)

Dimanche 20 mai

Je suis morte!

Si je me promenais dans un cimetière, je n'aurais pas à avoir peur de croiser un mort vivant, car il croirait, juste à me regarder, que je fais partie de sa gang.

J'ai travaillé deux jours seulement au restaurant de sous-marins et je suis déjà un peu tannée. C'est plate. Et c'est un environnement hostile. Et disons que les heures que je passe à apprendre ce nouveau travail viennent un peu contrecarrer mes plans de me consacrer corps et âme à mes études.

Tommy pense que je vais trouver un rythme. Il dit que lui aussi a eu besoin d'une adaptation, mais qu'on réussit à organiser son temps de façon à être capable de tout faire : travail et études.

Mouain...

Mais cet environnement hostile me donne simplement envie d'être cryogénisée et qu'on me réveille dans mille ans, quand tous ces gens ainsi que leur descendance auront disparu !

18 h 01

J'y pense: bon plan! La cryogénie! Comment n'y ai-je pas pensé plus tôt?!

18 h 02

Plan avorté. Il paraît que la cryoconservation des humains n'est pas tout à fait au point et est considérée par les scientifiques avec beaucoup de scepticisme, voire comme une pseudoscience, car il n'est pas encore possible de ramener à la vie ceux que l'on congèle. (Les cellules et les organes s'abîment durant les changements de température, semble-t-il.) Ah.

Comme j'ai déjà des cellules endormies et/ou abîmées de naissance, ça ne vaut pas la peine d'empirer mon cas pour ma future vie dans mille ans...

Lundi 21 mai

Congé pédagogique: yé.

Je ne déborde pas d'enthousiasme, parce que, alors que ce congé pourrait me permettre de relaxer, j'ai plein de devoirs en retard à cause de mon nouveau travail au resto.

En plus, j'ai l'œil gauche qui clignote. Depuis hier. C'est vraiment énervant.

13 h 15

Réunion chez moi avec Kat, Marielle Gendron et Laurie Morin-Pagé pour travailler à notre théâtre de marionnettes.

13 h 20

On s'assoit toutes les quatre dans ma chambre. Marielle s'assoit au pied de mon lit, en indien, et feuillette un *Miss Magazine* que j'ai laissé traîner là. Marielle est une fille assez sportive. Elle fait partie de l'équipe de volley-ball de l'école. C'est une grande blonde, assez costaude. Elle a les cheveux très longs et épais et se les attache toujours en queue de cheval. Elle a notre âge, mais je dirais qu'elle paraît au moins cinq ans plus vieille (OK, deux).

Laurie s'assoit à la chaise de mon bureau de travail. Elle a les cheveux noirs et est très élancée. Elle sourit toujours et elle est reconnue pour être une fille très bollée. Elle n'arrête pas de complimenter mes couleurs de chambre (rose, avec un mur rouge cerise). Je leur montre les pages du *Miss Magazine* qui m'ont inspiré les couleurs de ma future chambre et elles semblent très enthousiastes. Kat précise qu'elle m'a beaucoup aidée dans mon choix. Kat et moi nous assoyons en indien sur mon lit.

13 h 40

Nous essayons de penser à nos personnages. Puis à l'histoire que nous pourrions raconter. Mais nous ne trouvons rien.

Moi : Oh, les filles, j'ai l'œil gauche qui saute depuis hier...

Laurie : *Yanjing tiao* - œil plus sauter... En croyance chinoise, c'est une rentrée d'argent.

Moi : Oh...

Marielle fouille encore dans le magazine, prétextant vouloir s'en inspirer pour trouver un sujet. Puis, elle trouve un article intitulé « Incantations et autres... » et propose :

– Pourquoi on n'essaie pas ?

Laurie : Les incantations ?

Marielle : Oui... Mais ce serait juste pour rire. Et après on travaille !

Moi : Je pourrais demander que mon œil gauche arrête de sauter. Ou de rencontrer Robert Pattinson ?

Tout le monde me regarde, surpris, et personne ne dit rien.

Kat : Faudrait que tu choisisses l'un ou l'autre.

Marielle : J'ai lu dans le *Miss* l'autre jour que Robert Pattinson n'aime pas que des fans l'abordent dans la rue et tout. D'ailleurs, c'est pour ça que, moi, je préfère Taylor Lautner qui incarne Jacob Black. Tu devrais choisir ton œil.

Kat : Oui, mais c'est peut-être juste des rumeurs...

Moi : OK, mon œil qui saute... (J'ai dit ça, mais en fait j'ai pensé Robert Pattinson, ça ne me dérange pas trop d'avoir l'œil qui saute si l'interprète d'Edward Cullen est amoureux de moi. Mais Robert pourrait-il vraiment tomber amoureux d'une fille qui a l'œil qui cligne sans arrêt? Ça ne paraît pas trop pour l'instant, mais si ça venait à s'amplifier?...)

Marielle : Bon choix. Moi, j'aimerais bien faire une incantation pour que Jérôme tripe sur moi.

Moi : Jérôme?

Marielle : Oui, un gars de l'équipe de volley! Il est vraiment *cute*! On se regarde toujours, mais... j'ai peur qu'il ne veuille pas sortir avec moi parce que je suis plus grande que lui.

Kat : Moi, je ne remarque que Jean-Félix. Avant, je n'aurais jamais cru qu'il était mon genre, mais finalement, c'est mon meilleur ami. Quoique...

Moi : Quoi?

Kat : Ben... je ne l'ai dit à personne, mais parfois, j'ai l'impression qu'il est distant...

Elle ne l'a dit à personne... MÊME PAS À MOI???!!!!

Moi : Toi et JF, vous êtes super amoureux! Attention, t'avais cette même impression avec Truch et tu t'es enduite d'autobronzant pour rien.

Kat et moi éclatons de rire et réalisons que nous avons encore fait une *inside*, alors pour ne pas nous mettre nos coéquipières à dos, nous décidons de partager l'anecdote. Nous leur racontons que, pour plaire à son ex, qui était encore son chum à l'époque, Kat s'était enduite d'autobronzant, mais qu'elle en avait trop mis et qu'elle était carrément devenue orange!

Laurie et Marielle rient et racontent à leur tour des niaiseries qu'elles ont faites pour un gars. Marielle est déjà passée à vélo au moins vingt fois devant la maison du gars sur qui elle tripait, en attendant qu'il remarque qu'elle était dans sa rue. Jusqu'à ce qu'il sorte de chez lui et lui demande si elle était perdue... Laurie, elle, a déjà mis une lettre dans la case d'un gars qui était tellement bordélique qu'il ne l'a jamais trouvée.

Kat : La pire, c'est Au ! Elle a gardé une gomme de son ex !

Marielle : Oh, ark !

Moi : C'était pour le futur. Clonage. En tout cas... J'avais un plan.

Laurie : C'était qui, ton ex ?

Moi : Nicolas... Dubuc.

Marielle : Oh ! J'ai une amie qui est sortie avec lui.

J'ai soudainement une boule dans le ventre. J'hésite entre lui demander de m'en dire plus ou de ne rien me dire du tout. J'ai du mal à respirer. Je ne comprends pas trop pourquoi.

Laurie : Sandrine ?

Marielle : Oui. Il l'a laissée après une semaine en lui disant qu'il n'avait pas le cœur libre.

Surtout, ne pas m'emballer.

Moi (tentant d'être le plus détachée possible) : C'était quand ?

Marielle : Il y a un ou deux mois.

Kat me regarde et me fait non de la tête. Mes dons télépathiques maintenant confirmés, je comprends que mon amie me signale de ne pas me laisser emporter par cette information. Pour me calmer, je jette un coup d'œil à mon affiche de Robert Pattinson.

Marielle : Crois-tu que c'était toi ?

Moi (dans ma tête : Oui ; dans la réalité) : Oh, euh... non, sûrement pas. On ne se parle plus. Et ma relation avec Robert Pattinson/ Edward Cullen me convient trop parfaitement. C'est zéro compliqué. Et, bien que je n'aie aucun échantillon de son ADN pour nous cloner dans le futur, je trouve que c'est la relation parfaite.

Les filles lancent un regard à mon affiche de *Twilight* (où j'ai pris soin de découper Kristen Stewart, vraiment inutile dans le décor, selon moi) et sourient en regardant le beau vampire.

Laurie : On voudrait toutes un Edward Cullen ! Donc, incantations d'amour... Qu'est-ce qu'il faut dire ?

Marielle : Mais toi, Laurie ? Ce serait avec qui ?

Laurie rougit et avoue :

– Alex, le président du Club Sciences.

Kat et moi nous lançons un regard furtif et discret. Kat a elle aussi déjà tripé sur Alexis Gaudet. Et c'est lors d'un party (de St-Valentin, que j'avais fait organiser par Iohann) qu'elle a tenté de savoir s'il était intéressé et, réalisant que non, elle s'est beaucoup rapprochée de Jean-Félix. Leur relation s'est rapidement transformée en amour. (Hihihi ! j'ai l'impression de parler comme un animateur de téléréalité, style *Occupation Double.*)

J'ai par contre une pensée pour Tommy, qui semble la trouver de son goût.

Moi : Aimes-tu les gars qui font de la musique, Laurie ?

Laurie : Oh, si Alex joue de la musique, ça ne me dérangera pas. Pourquoi, il en joue ?

Moi : Je ne sais pas, c'était pour faire la conversation.

Marielle : Ils disent dans l'article qu'on peut inventer nos propres incantations.

Moi : Tant qu'à inventer, on pourrait le faire avec des jujubes.

Kat : Quoi ?

Moi : Genre, on dit une formule et pour que ça se réalise, on doit manger, genre, cinq jujubes.

Kat : C'est n'importe quoi !

Moi : C'est pas pire que faire un vœu quand on voit une coccinelle !

Marielle : Bon point. Tant qu'à inventer, faisons quelque chose de tripant !

14 h 21

Nous rentrons après être allées acheter des jujubes.

Laurie : J'invente la formule. Je la dis tout fort et, ensuite, il faut qu'on mange chacune cinq jujubes jaunes.

Nous avons décidé que, pour notre incantation, il fallait manger des jujubes jaunes de manière à offrir quelque chose en sacrifice (le bon goût des jujubes d'autres couleurs). Nous nous sommes trouvées très spirituelles.

Laurie : Bon. *Esprit de l'amour...*

Moi : Ce serait pas plutôt Cupidon qu'il faudrait invoquer ?

Marielle : On n'est pas à la St-Valentin.

Moi : Oui, mais c'est quand même lui, l'expert en amour.

Laurie : Ah ouain, c'est vrai ! *Cupiiiiidon ! ! ! Sooooors ta flèche et ton aaarc en forme de cœur et fais tooooomber Jérôôôôôôme aaaaamoureux de Maaarielle !* Vite, vite, mangez vos jujubes jaunes !

Au moment où on mange notre dernier jujube, ça cogne à ma fenêtre, ce qui nous fait sursauter : «Aaaaaaah!»

Tommy ouvre la fenêtre.

Kat : Tu peux pas passer par la porte comme tout le monde!

Tommy : Voyons, les filles! On dirait que vous avez vu un monstre!

Kat : C'est à peu près ça, oui.

Moi : Tu nous as fait peur!

Tommy : Qu'est-ce que vous faites?

Moi : Des in...

Marielle : Des in... formations! On se donne des informations! Pour un travail.

Bonne idée de Marielle. Il est probable que Tommy aurait ri de nous si on lui avait dit la vérité.

Je présente Marielle et Laurie à Tommy.

Kat : Qu'est-ce que tu veux, Tommy?

Tommy : Ben j'ai vu que vous étiez là, alors je voulais venir vous dire allô.

Il regarde longuement Laurie qui est en train de profiter de notre moment de distraction pour manger un jujube rouge, que je lui enlève tout de suite des mains, au cas où on en aurait besoin pour une future incantation (sans sacrifice).

Kat : C'est gentil de ta part, mais pour l'instant, on fait quelque chose d'assez secret pour notre travail d'art dramatique. Mais si tu veux, tu peux revenir plus tard... quand on ne sera plus là.

Moi : Kat! Franchement!

Tommy : Ben non, c'est pas grave, je comprends que je dérange.

Il s'en va. Kat et moi tournons les yeux vers Laurie qui enlève tout de suite sa main du sac de jujubes, comme si elle se sentait prise sur le fait.

15 h 57
Surdose de jujubes.

Marielle et Laurie sont parties. J'espère que notre incantation ne portera pas fruit. Raison : il est arrivé un malencontreux accident avec mon cerveau. Au moment où on prononçait l'incantation voulant que Robert Pattinson tombe fou amoureux de moi (mon œil gauche avait déjà presque arrêté de sauter, alors j'ai changé d'idée de vœu), j'ai prononcé le nom de l'acteur, mais j'ai pensé à Nicolas (uniquement parce qu'on en a parlé, sinon, je ne vois vraiment pas pourquoi j'ai pensé à lui à ce moment, c'est une erreur, un anachronisme même, puisqu'il fait partie d'un passé lointain et oublié. Mais bon, comme mon cerveau est un organe incontrôlable en ce qui me concerne, ce n'est pas *précisément* ma faute). Kat, elle, a souhaité que ça dure pour toute la vie avec JF ; Laurie a souhaité sortir avec Alex ; et Marielle veut gagner toutes ses compétitions sportives (pour se faire remarquer de Jérôme, hihi). Je me demande si, au dernier moment, tout comme moi, elles ont eu quelqu'un d'autre en tête.

Nous avons également décidé de notre histoire pour le théâtre de marionnettes.

Il s'agit d'une fable magico-écologique (un peu mon idée générale). Un éléphant africain a soif et désire boire de l'eau, mais l'eau a complètement déserté son continent. Il décide donc de partir. (Au début, on avait pensé qu'il pourrait partir en bateau, mais on s'est vite ravisées, réalisant que c'est impossible de partir en bateau lorsqu'il n'y a plus d'eau... et que le poids d'un éléphant ferait peut-être couler le bateau. Ce sont des détails techniques auxquels on doit réfléchir pour la crédibilité de notre scénario.) Alors, on a décidé que l'éléphant rencontrait une sorcière qui lui permettait de faire le tour du monde grâce à la téléportation par le jujube (on mange un jujube et on se téléporte où on veut). L'éléphant rencontre une petite fille sur sa route, qui elle aussi a soif. Ensemble (grâce aux jujubes), ils parcourent le monde à la recherche de la cause du problème. Ils découvrent que toute l'eau du monde a été volée par le méchant Zouf (nom de notre méchant, trouvé par Laurie). Ils retournent donc voir la sorcière qui leur donne des munitions pour combattre Zouf (un jujube rouge à lui faire manger en cachette).

Bref, notre consommation de jujubes nous a extrêmement inspirées. Et nous étions contentes de notre travail.

Kat et moi sommes restées ensemble après le départ de Marielle et Laurie et on a toutes les deux conclu qu'on les aimait bien.

Ce moment avec de nouvelles amies a été beaucoup plus réussi que le party pyjama que j'avais fait avec Frédérique, Nadège et Roxanne, qui avaient un peu insulté Kat pendant la soirée (insultes devant lesquelles j'étais malheureusement restée muette...). Je crois que Kat a pensé à la même chose que moi, car nous sommes restées silencieuses un instant avant de nous sourire faiblement. Et, d'un simple regard, nous avons convenu de ne pas revenir sur ces moments à oublier.

Mercredi 23 mai

J'ai eu 71 % dans mon test d'anglais avec la mention, écrite en rouge : « Bonne compréhension des questions, mais difficulté à exprimer plusieurs idées. » Humpf.

12 h 31

Au dîner, nous parlons d'une rencontre que nous avons tous eue à la deuxième période concernant nos choix de cours de l'an prochain. Nous devons nous décider dans les plus brefs délais. Pour nous aider, ils nous offrent d'aller passer une journée avec un professionnel afin de voir si son métier nous plaît. Les professionnels en question sont souvent des parents d'élèves qui se sont portés volontaires. (Ma mère participe, d'ailleurs.)

Les cours que nous choisirons l'an prochain seront déterminants pour notre avenir. Kat n'est pas excellente en sciences, mais tient quand même à faire le programme de sciences de la nature pour pouvoir devenir vétérinaire. Elle veut faire sa journée carrière avec un vétérinaire. Elle en a vu un dans la liste et s'est inscrite tout de suite.

Jean-Félix nous apprend qu'il choisit quant à lui les langues et sciences humaines. Il aimerait bien devenir politicien. Ou ambassadeur. Il voudrait voyager. (Je suis certaine que Kat est en train de s'imaginer qu'ils voyagent à dos de cheval.)

Kat : À cheval à mes côtés ?

Moi : Ahhhhh !!! Je viens juste de me dire que tu devais te dire ça !

Kat : Wouaahhhhh !!! Tu lis dans mes pensées !

Moi : Je le sais ! Je m'améliore, télépathiquement parlant.

Jean-Félix sourit et caresse la main de Kat, puis continue à manger. Il regarde autour de lui et semble un peu distrait. Je plisse les yeux pour tenter de lire dans son cerveau, question de voir si les inquiétudes de Kat sont fondées, mais je crois qu'il a le don de bloquer l'accès à ses pensées. (Je lis sûrement trop de romans fantastiques...)

Il passera donc la journée avec un député. En fait, avec l'assistant d'un député, qui lui apprendra un peu comment tout fonctionne. C'est le grand frère d'un élève de troisième secondaire qui travaille dans ce domaine et qui a accepté de participer à la journée carrière.

Tommy ne s'inscrira pas avec un parent. Il a parlé à l'orienteur et lui a dit qu'il aimerait passer la journée dans une compagnie de jeux vidéo et qu'aucun parent travaillant dans ce domaine n'était bénévole. L'orienteur lui a dit qu'il avait quelques contacts et qu'il pouvait lui organiser ça. Il va donc passer la journée dans une boîte qui crée des jeux vidéo et rencontrer plusieurs personnes, dont un concepteur de jeux, un producteur, un illustrateur, etc. Je l'ai regardé un instant et je lui ai dit que, bien que j'hésitais pour moi, je n'ai aucun doute sur les études qu'il devrait faire. Tommy devrait étudier la musique. C'est sa passion. Il me répond qu'il est vraiment attiré par les jeux vidéo, qu'il considère comme un domaine d'avenir.

Moi, j'hésite toujours. Arts? Sciences? Pour aller en sciences, il faut être bon en maths. On doit même prendre plus de cours de maths. J'aime ce que j'apprends en sciences, mais passer ma vie dans les maths? Je me vois peut-être devenir médecin, sauver des vies... Je pourrais même ouvrir un cabinet dans mon sous-sol et faire des consultations gratuites dans mes temps libres. Kat sauverait les animaux, moi, les humains. Ainsi, la planète serait entre bonnes mains avec nous. Sans compter que si je ne choisis pas les sciences, Kat et moi serons séparées... Une carrière de neurologue m'intéresserait aussi, pour comprendre le fonctionnement du cerveau. Hum...

16 h 32

À la fin de la journée, j'ai finalement choisi directrice des communications d'un hôpital. Pas parce que c'est ce que je veux faire plus tard, mais parce que c'est le seul métier qu'il restait sur la liste (avec pharmacien). Bien que je n'aie rien contre les pharmaciens, ce domaine ne m'intéresse pas trop (surtout parce qu'il faut mémoriser des trucs et que la preuve a été faite que la mémoire n'est pas un de mes principaux atouts, à part en ce qui concerne les dates de fête de mes idoles et, semble-t-il, quelques verbes irréguliers en anglais).

Mais directrice des communications d'un hôpital, ça sonne bien! Ça sonne tellement comme ma future carrière. «La directrice des communications de l'hôpital, madame Aurélie Laflamme, nous a assurés que le patient avait été sauvé in extrémis par l'urgentologue présent.» Évidemment, l'urgentologue serait beau et nous aurions vécu par le passé une histoire d'amour (demeurée secrète pour ne pas offusquer nos collègues) qui se serait terminée parce que je voulais me concentrer sur ma carrière. Il serait alors rongé par le chagrin et ferait tout pour me reconquérir.

Ça sonne un peu trop comme un téléroman américain...

Vendredi 25 mai

J'ai ÉNORMÉMENT mal au poignet. À cause du ballon-chasseur. (Je préférais vraiment lorsqu'on faisait du yoga en éducation physique, mais bon, des élèves se sont plaints, car ils voulaient un peu plus d'action.) Je déteste le ballon-chasseur. Quel jeu poche! Le ballon m'est arrivé dessus à vive allure et j'ai voulu mettre mon bras pour me protéger (un gars m'a ensuite dit que je devais me servir de mes bras pour *attraper* le ballon et non pour me *protéger* du ballon, mais bon, chacun sa façon de jouer), il a heurté mon poignet et j'ai mal depuis ce moment-là.

10 h 38

Kat n'en peut plus! Elle a des fourmis dans les jambes, elle dit qu'elle ne peut vivre sans équitation. Mais elle n'a pas le choix de ne pas en faire ce printemps si elle veut aller à son camp qui coûte assez cher (surtout que Julyanne, sa sœur, a demandé d'y aller aussi cette année). Elle me raconte ça pendant que nous nous changeons en vitesse après le cours d'éducation physique. (Le prof ne nous donne jamais assez de temps entre les deux cours, si bien que plusieurs d'entre nous – celles qui veulent prendre leur douche après avoir sué, pas qu'on sue comme des malades, mais quand même, après avoir couru et tout... on ne voudrait pas être les puantes de l'école – arrivent en retard.)

Kat : En fait, je n'en peux carrément plus de l'école! J'ai hâte à cet été!

Moi : Parle pour toi...

Kat : Quoi?

Moi : Tu veux que je te raconte à l'avance mon été? Je vais travailler dans un truc de sous-marins poche avec des gens qui trouvent que je suis la dernière des nouilles.

Kat : Dinde.

Moi : Ha. Ha. Camping. Déménagement... Yé. Plus bel été de ma vie.

Kat : Viens avec moi au camp!!!! On aurait trop de fun!

Moi : Tu m'imagines dans un camp d'équitation? S'agirait que je fasse une fausse manœuvre, mon genre, que je perde un cheval...

Kat : Pas Roscoe ! J'ai tellement hâte de le revoir !!!

Moi : ... et tu ne voudrais plus me parler parce que je serais la risée du camp.

Kat : Tu serais la plus grande risée de mon camp et je te parlerais pareil et je me battrais avec tous ceux qui riraient de toi. D'ailleurs, je vais y aller, moi, à ton resto. Je vais leur faire des yeux méchants s'ils te parlent mal, et si des clients t'engueulent, je vais leur dire ce que je pense d'eux !

Moi : Qu'est-ce que tu vas leur dire ?

Kat : Hum... je ne sais pas, je vais improviser quelque chose sur le coup.

10 h 43

Denis, le prof d'éduc, cogne à la porte du vestiaire pendant que nous enfilons nos bas et dit :

— Les filles, la cloche va sonner dans deux minutes ! Pas de flânage !

Nous regardons autour de nous et nous apercevons que sommes les seules dans le vestiaire.

Nous sortons, le croisons et Kat dit :

— Vous avez juste à nous donner plus de temps ! Dix minutes pour tout faire, ce n'est pas assez.

Denis : OK, mes revendicatrices, sauvez-vous à votre cours.

Denis fait sûrement référence à mon insistance pour changer le plan du cours d'éduc, devant laquelle il a ajouté le yoga au programme. Kat me dit à l'oreille :

– Tu vois ce que ça fait d'être toujours ensemble, il m'associe à tes affaires !

Je regarde Kat et j'ai une illumination. Je me retourne et je dis :

– Hé, Denis ! J'ai une meilleure idée que le yoga. Pourquoi ne pas mettre des jeux de *Dance Dance Revolution*, *Boogie Superstar* ou des jeux vidéo du genre, l'an prochain, au programme ? Il paraît que plein d'écoles le font !

Denis : Hé, c'est pas fou, ça. Bon, allez en classe.

Kat, qui adooore ce jeu, a crié comme une malade et j'ai dit :

– Bon, c'est pas si pire que ça, être associée à moi, finalement.

Samedi 26 mai

Oh mon Dieu !!!

Mais comment vais-je annoncer ça à ma mère ? Comment ???!!!

J'ai perdu ma job...

Finalement, un lieu de travail est un très mauvais repaire pour une gang... Ça fonctionne dans les films, mais dans la vraie vie, c'est totalement différent.

Tout a commencé quand Kat est arrivée à mon travail. Alors que le plan était qu'elle me défende, elle est arrivée en larmes. Jean-Félix venait de la laisser. Je n'en revenais pas ! Il me semble qu'ils sont tellement proches. Toujours collés. Mais je n'ai pas réagi sur le coup parce que lorsque Kat est arrivée, j'étais en train de faire un sous-marin végétarien pour une cliente début trentaine qui parlait au cellulaire et qui avait du mal à laisser sa conversation deux secondes pour me dire ce qu'elle voulait comme garniture. Et, ô miracle, c'est seulement pendant que mon amie me parlait qu'elle a daigné raccrocher et montrer des signes d'impatience envers moi. J'avais donc d'un côté la cliente et de l'autre, Kat.

Cliente : Piments...

Kat : Je ne comprends pas ! Il est arrivé tantôt...

Cliente : De la salade, mais pas trop... comme ça, oui...

Kat : Il était comme d'habitude...

Cliente : Cheddar, le fromage. (Coudonc, elle pensait que je croyais que c'était une sorte de concombre ?!)

Kat : Et là... (Elle pleure et renifle pendant que je regarde vers la cuisine pour être certaine que personne ne vient.) Il m'a dit qu'il préférait que ça se termine entre nous.

Moi : Penses-tu que c'est à cause de sa passion pour les voyages ? Il ne veut pas s'attacher ?

Cliente : Oh, sûrement ! Les hommes sont comme ça. Faudra vous habituer, les filles.

Moi : Oh, moi, j'ai pris ma retraite. Je ne fantasme que sur les stars de cinéma maintenant. C'est moins de problèmes.

La cliente rit.

Kat : Je ne comprends pas. Tout allait bien.

Cliente : Il est jeune. Vous savez, les filles, ce genre de situation va vous arriver souvent. Habituez-vous.

Kat : J'ai eu une peine d'amour une fois... Mais je croyais que cette fois-ci, c'était un gars qui ne pouvait pas me faire mal... C'était... mon meilleur ami...

Moi : Mais là, après, qu'est-ce qu'il a dit ? Prenez-vous le trio ?

Kat me regarde, un peu perdue.

Moi : Je parle à la madame, nouille.

Kat : Je ne sais pas, je suis tout de suite venue ici après qu'il a dit ça.

Cliente : M'avez-vous traitée de nouille ?

Moi : Non, mon amie est nouille. Vous, vous ne semblez pas nouille.

Kat : Moi, je suis nouille ?!?!

Moi : Non, mais c'est juste que j'offrais un trio. Ah !

Le gérant arrive pendant que la dame sort son porte-monnaie et dit :

– Il y a un problème ?

La dame fait un non peu convaincant, paie et sort. Au même moment, Jean-Félix entre et fonce vers Kat.

Ils s'assoient tous les deux à une table et parlent. Le gérant me demande s'ils vont commander quelque chose, alors je décide de leur payer une boisson gazeuse. Ils me remarquent à peine et ne font pas attention à ce que je dépose sur leur table.

12 h 51

Tommy arrive ensuite au restaurant. Il a pris une pause de son propre travail pour venir m'encourager (top gentil!). Mon gérant me regarde du coin de l'œil. Je retourne derrière le comptoir et je nettoie pendant qu'un autre employé, Samuel, fait les sous-marins d'un couple vraiment quétaine qui ne s'est même pas décollé pour commander. Ark. Mal de cœur. Je suis contente que l'amour soit du passé pour moi. Bon débarras. (Je pense que je vais proposer à Tommy qu'on s'invente une poignée de main pour la secte des célibataires.)

12 h 53

Pendant que je nettoie, Tommy vient me voir et me demande ce qu'a Kat. Je lui lance un regard tout en pointant mon gérant du menton pour lui signifier que je n'ai pas le temps de parler. Il décide d'aller aux toilettes et me dit qu'il attendra ma pause.

12 h 54

Iohann et Frédérique entrent. Ils approchent de moi en disant qu'ils ont appris que je travaillais ici et qu'ils voulaient me voir à l'œuvre. Puis, Frédérique aperçoit Kat et me dit tout bas:

– Elle a pleuré ou elle a engraissé? Elle semble enflée du visage.

Soudain, la colère monte en moi si fort que je lance, comme ça, à brûle-pourpoint:

– Heille, c'est vrai que les tartes ne sont pas toutes dans les assiettes!

Iohann est sans voix. Frédérique est complètement bouche bée et ne fait que « b... b... b...».

Bon, je l'admets. J'ai totalement volé cette réplique. Mais ça fait tellement de bien de lancer quelque chose comme ça, après qu'on a attaqué votre meilleure amie.

12 h 55

Kat et Jean-Félix étaient à leur table, Tommy se tenait derrière, tandis que Iohann et Frédérique s'engueulaient devant moi sur le fait que Iohann ne l'avait pas défendue après mon insulte. Tout ça devant mon patron. J'avais le goût de tous leur crier : « JE TRAVAILLE!!! »

Mais voir Kat toute débinée me brisait le cœur.

Alors, je suis allée près de la table où elle discutait avec Jean-Félix pour faire semblant d'aller nettoyer. Tommy m'a suivie.

Je regardais mon amie et je n'avais envie que d'une chose, lui chuchoter : « Je pense que je peux trouver un truc pour sortir par le conduit de ventilation des toilettes. » Mais tout bien réfléchi, je me suis dit que c'était se compliquer la vie, car on aurait pu sortir par la porte, lorsque Jean-Félix s'est retourné vers nous et nous a dit :

– Je pensais que je pouvais...

Tommy : Tu le lui as dit?

Moi : De quoi?

Kat (en regardant Tommy) : Tu le savais???!!!!

Moi : De quoi???!!!

Jean-Félix : Je suis amoureux... de quelqu'un d'autre.

Je regarde Kat et elle me dit :

– Un gars.

Moi : Quoi???

Tommy : Il est gai.

91

Kat : Je ne peux pas croire que tu le savais !
Au, je te l'ai dit que Tommy était en probation !

Moi : Tommy ?

Tommy : J'avais promis de garder le secret...

Monsieur Lalonde arrive près de nous et dit :

— Bon, Aurélie, compte tenu des nombreux problèmes que tu nous as causés, je crois que nous n'aurons plus besoin de tes services.

Dimanche 27 mai

Ma mère a finalement super bien réagi. Bon, « bien réagi »... En fait, elle a simplement dit :

— Bon. On pourra se concentrer sur le déménagement. C'était peut-être un peu trop, tout ça.

Vraiment, je ne comprendrai jamais rien aux adultes. C'est elle qui a insisté pour que je travaille, et finalement elle pense que c'est une bonne chose que je ne travaille pas étant donné notre été chargé. Euh ??? J'aurais tellement pu le lui dire lorsqu'elle m'a obligée à travailler. Tsss !

Et ce matin, pendant que j'étais occupée à lire ma boîte de céréales, elle m'a dit :

— J'aimerais ça que tu fasses des boîtes aujourd'hui.

Moi : Mais maman !!! Je suis supposée voir Kat pour faire nos marionnettes ! Et j'ai mal au poignet !!!

Ma mère : Je ne t'obligerai pas à te trouver un autre travail tout de suite. Par contre, j'aimerais que tu commences à faire tes boîtes. Nous avons beaucoup de choses à préparer. *Deal*?

Moi : Euh... Mais Kat? Et notre travail d'arts dram? Et mon poignet?!!!

Ma mère : Tu l'appelles et tu lui dis que tu es occupée. Je veux que tu commences aujourd'hui. Pas demain, pas la semaine prochaine. Maintenant. Vide ta garde-robe. Emballe les choses dont tu n'as pas besoin tous les jours. Tu vas voir, c'est plus long que ça en a l'air. Et je pense que ton poignet survivra. Je ne te demande pas de déplacer tes meubles, juste de commencer à faire un ménage, à ranger des choses. Et si tu as besoin d'aide, je suis là. C'est ce que je fais aujourd'hui aussi.

10 h 52

Grommelle, grommelle, grommelle, grommelle.

10 h 57

Je viens de raccrocher avec Kat. Je ne peux pas sortir. J'ai trouvé pire qu'un travail : l'obligation de faire mes boîtes. Elle était déçue, car elle avait vraiment besoin de moi aujourd'hui. Elle a quand même de la peine, pour Jean-Félix. Même si... tout ce que l'on sait.

13 h 15

Bon, j'avoue que j'ai peut-être cru la tâche pire qu'elle ne l'est en réalité. Je mets des choses que je veux garder dans une boîte, des choses que je ne veux pas garder dans un sac pour donner à des familles défavorisées, et d'autres carrément dans une poubelle. (C'est cette section qui est moins remplie, j'ai du mal à jeter mes choses...)

Ma mère est venue me porter un sandwich vers midi et nous avons mangé, assises sur le coin de mon lit. Elle a aussi fait des brownies (un peu secs, mais bon, je ne le lui ai pas dit, évidemment... J'ai fait : « Mmmm, super ! » en souriant pour ne pas l'insulter). Puis, elle m'a révélé que ça lui enlevait un poids de me voir commencer mes boîtes, car ça la stressait énormément. (Je me demande s'il existe des médicaments contre ce stress qu'elle vit quand il s'agit de rangement. Oh ! J'aurais peut-être dû choisir pharmacienne, finalement. Je me demande s'il est trop tard pour changer...)

13 h 25

Je viens de terminer de vider le contenu d'une tablette de ma garde-robe lorsque j'aperçois une boîte qui ne me rappelle rien. Une boîte à chaussures, vraiment vieille, un peu plissée.

J'ouvre le couvercle et je découvre les choses une à une comme si c'était la première fois que je les voyais. Plein d'objets de mon passé, de mon enfance, dont j'avais complètement oublié l'existence.

Une tuque qui doit dater de quand j'étais bébé. Elle est rose avec un petit trou sur le côté. Je la porte à mon nez. Eurk ! Ça sent le moisi !

Un vieux journal intime que j'avais fait en bricolage avec des mouchoirs en papier et de la

colle. Sur la couverture : *Mon carnet de pensées.*
Je l'ouvre et découvre un poème :
 « Un lapin-pin-pin
 A très faim
 Sous une branche de sapin-pin-pin
 Il rêve de manger une carotte
 Dans une petite botte. »
J'éclate de rire ! Je ne peux croire que j'ai écrit ça !

Un CD de *Jonathan Livingston le goéland.*
Ah oui, je me souviens ! C'était ma grand-mère Laflamme qui m'avait donné ça. Ça fait tellement longtemps. Je devais avoir sept ans. Je me souviens que l'histoire me faisait rêver. Un goéland qui voulait aller toujours plus haut... Le narrateur était par contre un peu plate.

Je place le CD dans mon lecteur CD.

 « C'était le matin et l'or d'un soleil tout neuf tremblait sur les rides d'une mer paisible. »

Puis, je continue à sortir les objets de ma boîte avec la voix du narrateur en fond sonore.

Oh mon Dieu !!! Une photo de moi en deuxième année !!! J'étais laide et il me manquait deux dents ! HAHAHAHAHAHA !!!!

Oh. J'ai soudainement le cœur serré comme dans un étau, et un peu de mal à respirer lorsque je découvre un petit papier que je reconnais tout de suite.

Juillet, six ans plus tôt

Nous étions, ma mère et moi, au camping de mes grands-parents Charbonneau.

Aux funérailles de mon père, en janvier, j'avais voulu lui écrire un petit mot qu'il garderait avec lui pour l'éternité. Je l'avais donc mis dans sa main, dans la tombe. Mais on m'avait interdit de mettre ma lettre dans le cercueil. On me l'avait redonnée avant de le refermer. Ma mère avait bien essayé de convaincre les gens de laisser mon petit papier dans la tombe, mais ils refusaient. Ma mère s'était engueulée avec les gens, leur demandant ce que ça pouvait bien faire qu'une petite fille laisse un mot pour son père. Ma grand-mère Laflamme lui avait dit de laisser tomber et m'avait dit à moi de donner ma lettre à mon père d'une autre façon.

Je traînais toujours le petit mot sur moi.

Puis, un jour, j'ai eu une idée. Il faisait super beau et chaud. Ma grand-mère Charbonneau et ma mère équeutaient des fraises. Je m'en souviens parce qu'elles voulaient faire des confitures et que je détestais les confitures aux fraises (ce qui a changé depuis). J'ai pris une chaise de parterre, je suis montée dessus et j'ai lancé le papier dans le ciel de toutes mes forces. Comme il est tombé par terre, j'ai essayé de nouveau, sans succès. Ma mère, qui voyait mon manège depuis la cuisine, est venue me demander ce que je faisais.

– J'essaie d'envoyer mon message à papa, lui expliquai-je.

Dans mon souvenir, elle m'a longuement regardée. Je devais bien savoir qu'on n'envoie pas des messages aux morts en lançant des papiers dans les airs. J'avais neuf ans... Comment ai-je pu croire une seule seconde qu'en lançant mon papier dans les airs, mon père pourrait l'attraper ? Si j'avais eu, disons, six ans, passe encore, mais neuf ? ! Je crois que je n'y croyais pas. Pour être honnête, je voulais simplement que ma mère me voie faire et qu'on parle de lui qui me manquait tellement. Je me demande ce que ma mère, à cet instant précis, a pensé de sa fille. S'est-elle demandé si elle avait mis au monde une imbécile ? Quelqu'un qui ne comprendrait jamais que les notions de ciel et de paradis, dont le prêtre avait parlé aux funérailles et qui ne faisaient pas partie de ses croyances, sont des concepts non tangibles ? Ma mère, donc, m'a longuement regardée et a dû penser à toutes sortes de choses, dont les possibilités d'avenir que pouvait offrir un cerveau si peu doué, puis m'a dit :

– Mon amour, ma Choupinette...

Elle est devenue rouge. Puis, ma grand-mère Charbonneau est arrivée. Ma mère est partie et je ne l'ai plus revue avant le souper. Et ma grand-mère m'a proposé de venir l'aider à faire les confitures, invitation que j'ai refusée pour jouer dans la balançoire de l'arrière-cour.

Retour à aujourd'hui, 13 h 30

La voix apaisante du narrateur de *Jonathan Livingston le goéland* résonne dans mes haut-parleurs sans que je comprenne un traître mot de ce qu'il dit.

Je déplie le papier et je vois, dans le coin, en haut à droite, un oiseau mal dessiné et colorié en bleu. Le cœur serré, je lis :
« Sur les pages de mon livre
Un bel oiseau se promène
Il est fier de sa toilette bleue
Et toi tu dors éternellement
Dans ses belles plumes chaudes.

Papa, je t'aime pour toute la vie et je vais m'ennuyer de toi tous les jours.

P.-S. : Excuse les fautes. »

13 h 32
Je me lève et, chancelante, les jambes engourdies à force d'avoir été assise trop long-temps dans la même position, je me dirige vers ma table de chevet et j'en sors la photo de mon père que j'avais rangée.
– Je m'excuse, papa... Je ne suis plus fâchée.

13 h 34
Sybil, qui jouait à côté de moi avec un bonbon, qu'elle a pris sur la table de la cuisine, en le lançant dans les airs et en le rattrapant, a arrêté son jeu pour venir lécher mes larmes.

Elle s'est couchée sur mon torse alors que j'étais allongée sur mon lit à regarder le plafond, où j'avais collé de petites étoiles fluorescentes dans le noir, mais qui sont simplement jaunes en plein jour. Malgré moi, une immense colère est montée dans ma poitrine. Contre ma mère. Et contre moi-même d'avoir contribué à sa réconciliation avec François Blais. J'ai toujours su qu'il était le diable incarné, et c'est à cause de LUI qu'on déménage ! Je ne comprends pas pourquoi elle ne s'en rend pas compte. J'essaie de m'en sortir avec des techniques de respiration de yoga. Mais je ravale surtout ma salive salée...

14 h 56

J'entends frapper à ma fenêtre et j'aperçois Kat qui tente tant bien que mal d'entrer par là. Je m'avance vers la fenêtre pour l'aider à entrer en lui demandant :

– Mais qu'est-ce que tu fais là ?

Kat : Tommy le fait bien, lui ! Et ça ne me tentait pas de croiser des adultes... Faut ben qu'il serve à quelque chose, Durocher !

Je l'aide à entrer et elle tombe sur le plancher.

Moi : Ça ne te tentait pas de croiser des adultes ?

Elle se frotte la main qui a amorti sa chute.

Moi : Ça va ?

Kat : Oui, correct. Mais, je me sens « beuh »... J'avais tout arrangé, je m'étais trouvé une passion. Je ne m'intéressais plus trop aux gars. Finalement, je suis surprise par...

Moi : L'amour ?

Kat : Oui, oui, carrément. L'amour. Pis je me plante encore.

On se laisse tomber toutes les deux sur mon lit.

Moi : C'est réglé entre toi et JF ?

Kat : Ben oui... T'sais, je ne peux pas lui en vouloir... C'est sûrement le gars que j'aime le plus au monde. Je ne veux pas le perdre. Mais j'ai de la peine pareil...

Des larmes lui montent aux yeux.

Moi : Hon... mon amie... Fais comme moi et sors avec une affiche. Ou entre dans ma secte de célibataires.

Je pointe mon affiche de Robert Pattinson/ Edward Cullen qu'elle regarde quelques instants. Puis, elle essuie ses larmes du revers de la main et Sybil saute sur le lit au même moment et se frotte sous son menton, ce qui la fait rire.

Moi : De qui il est amoureux, JF ?

Kat : Il est allé à une rencontre informative sur sa, disons, condition, et il a rencontré un gars. Il ne se sent pas encore trop à l'aise d'en parler. Tu le connais. C'est un gars discret. Mais... toi, qu'est-ce que tu faisais ?

Je lui montre mes boîtes d'un geste. Et elle acquiesce d'un regard. On se couche toutes les deux sur mon lit et on regarde le plafond quelques minutes, en collant nos têtes. Puis, Kat lance :

– Hé ! Tu vas les décoller, tes étoiles ?

Moi : J'sais pas. Pourquoi ?

Kat : Laisse-les là ! Imagine les nouveaux propriétaires qui vont arriver pour peindre la chambre ! Trop gossant d'enlever toutes les étoiles ! Hahahaha !!!

Moi : Ahhhh, ouiiiii !!! Mets-en !!! Bonne idée !!! Hahahaha !!!

Juin

Déplacer de l'air

Vendredi 1er juin

Ce midi, je sens vraiment la fin de l'année scolaire qui approche. Cette impression que tout le monde est un peu excité avant le temps. Que l'été arrive à grands pas, malgré le temps gris et pluvieux. C'est comme un moment de flottement, juste avant la période d'examens, où on se sent déjà un peu en vacances et où on oublie qu'on a de grosses révisions.

D'ailleurs, tous les profs sont en mode révision-en-vue-des-examens-du-ministère.

Sonia, en français, nous a bien recommandé d'étudier les verbes passifs, les compléments de phrases, les adverbes, la ponctuation...

En maths, nous avons révisé toutes les règles d'algèbre. Maude semble plus stressée que nous, mais, fidèle à son habitude, elle nous encourage en nous promettant que nous sommes les meilleurs élèves de la région (on dirait que, parfois, j'y crois).

En sciences physiques, monsieur Gagnon nous a fait revoir un peu de tout et il nous a mis en garde contre les mélanges explosifs (en me regardant du coin de l'œil, ce qui a fait rire tout le monde. Très. Drôle.).

Monsieur Létourneau, en histoire, a passé en revue les dates importantes à retenir et nous a fait un bref résumé des événements qui y sont rattachés. Et un événement sur lequel je n'avais pas accroché en début d'année m'a frappée en particulier : la déportation des Acadiens. Je n'y avais sans doute pas fait attention, car peut-être que je ne m'identifiais pas à eux. Mais maintenant, je comprends totalement ce qu'ils ont pu vivre quand ils ont été forcés de quitter leurs maisons et leurs terres. (Et ça m'a rappelé que certains Acadiens étaient décédés du choléra pendant leur déportation, j'en ai d'ailleurs fait mention en classe et monsieur Létourneau a salué mon excellente mémoire. Wouahhhh !)

Nouvelles raisons de ne pas déménager (que je pourrais invoquer devant ma mère) :
• possibilité de mourir d'une très grave maladie, style choléra. Ah ! ;
• raison n° 1 assez dramatique pour ne pas être obligée de trouver de raisons n° 2 et plus.

Même si les profs sont en mode « examens » et qu'ils sont tous stressés, aujourd'hui, on est vendredi, 1er juin, vingt-deux jours avant la fin de l'école, et personne ne semble penser à autre chose qu'aux jours qui restent avant les vacances.

Kat et Jean-Félix se collent comme avant. Il n'y a aucun malaise entre eux. C'était un choc au début, mais elle est contente que JF soit honnête envers lui-même. Le seul problème, c'est que Frédérique a entendu la conversation au restaurant, et je crois qu'elle l'a dit à quelques personnes, car notre ami se fait regarder de façon étrange à l'école. Mais comme il a la réplique facile (lui !), il se défend très bien.

D'ailleurs, parlant de Frédérique, Iohann est venu me dire qu'elle m'a prise en grippe après ce que je lui ai dit au restaurant. Semble-t-il qu'il l'aurait calmée. Il m'a dit qu'il comprenait que j'avais dit ça dans un moment de stress. Puisque je l'ai trouvé si gentil, j'ai décidé d'écrire un courriel à Frédérique pour m'excuser. Je l'ai fait parce que je n'ai pas aimé ce que je lui ai dit (mon père n'aurait pas du tout approuvé), mais également pour que Jean-Félix ait la paix (lui qui sait se défendre sans insulter personne). Elle m'a répondu : « Tout est cool. Fred xx ». Donc, j'imagine que tout est cool. Elle n'a pas jugé bon, elle, de s'excuser à cause de ce qu'elle a dit sur Kat. Mais ce n'est pas grave, j'ai fait ce que j'avais à faire.

On a beaucoup parlé avec Jean-Félix. Ça nous a beaucoup rapprochés, tous les quatre. Il nous a expliqué qu'il s'est vraiment senti amoureux de Kat. Qu'il sent qu'elle est son âme sœur. Mais que sa nature l'a rattrapé. Et que ce n'était pas sa faute. Et qu'il souhaite être toujours son ami inséparable (à ce moment, Tommy m'a regardée, ce qui m'a touchée, car il est peu démonstratif avec moi). J'ai un instant pensé qu'il voulait nous annoncer qu'il était gai lui aussi, mais lisant dans mes pensées il a tout de suite dit :

— Je ne suis pas gai, Laf !

Kat a compris. Et ils sont comme avant. À l'exception qu'ils ne s'embrassent plus sur la bouche.

Jean-Félix a participé à plusieurs réunions sur le sujet. Il avait besoin d'entendre des gens comme lui. C'est sa tante (la seule qui était au

courant), qui est gaie, qui lui a suggéré de participer à ce groupe de discussion. Jean-Félix nous
a dit qu'il nous aimait et qu'il ne voulait rien
nous cacher, mais qu'il avait simplement voulu
faire sa démarche seul avant de dévoiler quoi que
ce soit. À un moment donné, Tommy a dit :

– Bon, c'est ben beau le papotage (il a
vraiment appuyé sur papotage), mais à quelle
heure on joue aux jeux vidéo ?

Et Jean-Félix lui a sauté dessus et l'a immo-
bilisé au sol avec un mouvement de lutte, en
criant :

– Accepte ma différence ! Accepte ma
différence !

Ils se battaient et riaient comme des malades
pendant que Kat et moi nous regardions sans
trop comprendre le mode de fonctionnement
masculin.

Quant à moi, je dois avouer que je suis
contente que JF soit gai. Car s'il avait laissé Kat
pour une autre raison, on l'aurait peut-être
perdu comme ami. Étrange, mais bon, c'est
comme ça. (Sauf que ça me fait de la peine
quand je sens le regard des autres sur lui, mais
c'est vraiment des cas isolés et ce n'est pas trop
différent des regards qu'on jette sur moi à cause
de mes maladresses.)

Je regarde mes amis et je m'ennuie déjà
d'eux avant le temps, vu que tout le monde s'en
va chacun de son côté cet été. Kat passe quelques
semaines au camp d'équitation, Jean-Félix
passe presque tout l'été avec ses parents chez
son oncle qui vit en Allemagne (il paraît qu'il
va l'annoncer à ses parents là-bas) et Tommy va
visiter sa mère.

Plusieurs fins approchent. Fin de l'année scolaire. Fin du printemps. Fin de ma vie dans ma maison. Fin du monde aussi, peut-être ? Naaa !

Tommy me lance un morceau de pain en disant :

– T'es dans la lune, Laf !

Et je lui en lance un moi aussi, mais j'accroche Jean-Félix. Alors, Jean-Félix m'en lance un à son tour. Kat lance le reste de son sandwich à Tommy qui lui lance à son tour un morceau de gâteau, salissant le chandail de Kat qui décide de lui lancer de l'eau. L'eau atteint un autre élève qui décide de lancer une pelure de clémentine à Kat. Jean-Félix lance alors un bonbon à cet élève qui se penche et le bonbon atteint une fille de la table derrière.

12 h 32

Guerre de bouffe généralisée dans la cafétéria. Tout le monde cherche quoi lancer et on reçoit tous des morceaux de bouffe qui arrivent de toutes parts. Même Mathieu, le prof le plus cool de l'école (seulement selon l'opinion de Tommy, car il enseigne en troisième secondaire et j'allais à l'école privée dans ce temps-là) embarque dans la bataille, jusqu'à ce que Fernande Desrosiers, une prof de première secondaire, arrive et crie d'arrêter ça tout en demandant aux élèves de ramasser. Mathieu cache alors sa bouffe et dit :

– Oui, c'est en plein ce que je leur disais, merci Fernande de m'aider dans la discipline.

Et quand elle part, tout le monde rit.

Il nous dit par la suite que ce serait plus sage d'écouter «la madame». (Il a vraiment dit ça comme ça.)

12 h 34

Je me penche pour ramasser quelques morceaux de bouffe par terre. En voulant me relever pour les mettre à la poubelle, ma tête heurte une autre tête.

Moi : Ouch !!!

C'est la tête de Nicolas.

Lui : Scuse.

Je deviens mal à l'aise. Je rougis (je pense), sans doute à cause de la surprise.

Moi : Scuse, je t'avais pas vu...

Lui : Non, c'est moi...

Moi : Ah, ben... de rien.

De rien ???!!!!!???

Je me sens soudainement essoufflée, mais je crois que c'est la bataille qui m'a un peu épuisée. Et le fait de ne dire que des niaiseries en présence de Nicolas.

Kat arrive et dit :

— Viens, Au ! On a rendez-vous avec les filles pour notre travail d'art dram.

Lui : Bye.

Moi (vers lui) : Bye.

Samedi 2 juin

Poème
Tant de chagrin
Tant de remords
Cette douleur aura-t-elle jamais une fin ?
Aurai-je toujours l'impression d'avoir eu tort ?

Parfois une porte entrouverte
Par la lueur de ton regard si direct
Sur mon cœur, qui continue sans cesse de s'agiter
Pour ces amours passées inoubliées

Je visite en rêve un monde parallèle
Où les nuages laissent place au soleil
Cela me permet d'entrevoir
Ce sur quoi je m'interroge tous les soirs

Même si notre histoire est terminée
Je ne peux m'empêcher
Souvent de penser
Qu'un jour on pourra de nouveau s'aimer.

Dimanche 3 juin

La musique de Miley Cyrus résonne dans nos oreilles comme si on nous faisait subir le plus grand des supplices.

Il fait super chaud. Le soleil brille et on voit la lune toute blanche derrière un des rares nuages qu'il y a dans le ciel.

Kat me lance un regard exaspéré en se prenant un peu de punch aux fruits sur la table installée dans sa cour et me chuchote à l'oreille :

– Non mais, c'est quoi cette musique ? Je ne peux pas croire qu'on était aussi quétaines que ça à son âge !

Moi : Souviens-toi de Britney Spears...

Kat : Ouain... c'est vrai.

C'est la fête de Julyanne qui aura douze ans demain, mais qu'on fête aujourd'hui vu que c'est la fin de semaine. Kat m'a fait promettre de venir pour ne pas la laisser seule avec la gang d'amies de sa sœur.

Incapables d'entendre Miley Cyrus s'époumoner davantage à chanter *Zip pou di dou dah*. (Elle en met vraiment trop, au niveau de l'émotion, selon moi, compte tenu des paroles qu'elle chante. On ne dirait pas qu'elle dit « zip pou di dou » et qu'elle parle d'une belle journée, on dirait qu'elle parle de je-ne-sais-pas-quoi d'hyper émotif, genre un ami malade.) Kat et moi nous retirons du groupe pour aller boire notre punch plus loin.

Nous regardons Julyanne et ses amis et, bien que nous n'ayons que trois ans de différence avec eux, nous constatons le MOOOONDE qui nous sépare (cela dit sans, disons, prétention).

Kat : Il y a des gars ici. Elle ne devrait pas mettre cette musique-là.

Moi : Laisse-la faire. Peut-être que, contrairement à toi, elle s'assume.

Kat met ses doigts dans son punch et m'asperge de quelques gouttes de jus, et je m'empresse de faire la même chose. Nous sommes interrompues dans notre bagarre par la mère de Kat qui arrête la musique.

Kat : Oh, enfin ! Quelqu'un qui a une bonne idée !

Madame Demers : Merci d'être venus à la fête de Julyanne, tout le monde !

Kat se cache le visage entre ses mains et me chuchote :

– Elle va lui faire honte... Pauvre Julyanne.

Madame Demers (qui continue) : C'est une grande année qui commence pour toi, Julyanne. Tu as douze ans. Tu finis ton primaire dans un peu moins d'un mois. Cette année, tu as vécu des choses difficiles...

Les choses difficiles dont elle parle, c'est la mort de Caprice, son hamster. Je jette d'ailleurs un regard vers le coin de la cour où nous l'avons enterrée. Puisque madame Demers regarde Kat, je soupçonne aussi que ce que Julyanne a vécu de difficile a rapport avec sa sœur, qui est souvent dure avec elle (je dois l'avouer même si Kat est mon amie). Julyanne essaie souvent de s'intégrer à notre groupe, sans grand succès puisque Kat la repousse toujours. Kat m'a même montré la carte d'anniversaire que Julyanne lui a donnée cette année, qui disait :

111

« Je t'aime même si tu n'es pas toujours gentille avec moi. » Ça voulait tout dire. Kat avait été un peu insultée. Mais elle avait d'autres chats à fouetter, car c'était au moment où elle et moi nous étions éloignées. Pendant notre chicane, elle avait essayé de se rapprocher de sa sœur, mais entre les deux, ce n'est jamais l'harmonie totale.

Je dois avouer que je ne comprends pas toujours les réactions de Kat face à sa sœur. Mais elle dit que je ne peux pas comprendre vu que je suis enfant unique et que j'ai toujours la paix. Ce à quoi je lui ai déjà répondu que j'aurais bien aimé avoir quelqu'un avec qui partager ce que j'ai vécu. Par rapport à mon père. Par rapport à ma mère. Par rapport à mon futur déménagement. Kat a simplement dit : « Tu ne peux pas comprendre », et on n'en a plus reparlé.

Madame Demers (qui continue) : L'autre jour, on t'a demandé ce que tu préférais entre l'équitation et... un autre cadeau...

Kat a soudainement une vive réaction. Une des choses qu'elle n'aime particulièrement pas, c'est que sa sœur copie ses moindres faits et gestes, sa façon de parler, de s'habiller et, par-dessus tout, sa passion pour l'équitation. Julyanne a en effet dit à ses parents qu'elle voulait aller au même camp d'équitation que Kat cet été. Kat se penche vers moi et dit :

– Dire que j'avais la paix l'an passé, là-bas ! Des vacances de ma sœur pendant un mois !

Moi : Arrête, t'exagères !

Madame Demers : Julyanne, comme tu as été vraiment assidue dans tes études et que ce cadeau semblait être la chose qui te ferait le plus plaisir...

Des larmes apparaissent dans les yeux de Julyanne. Kat prédit, en imitant la voix de sa mère :

– On va te donner tout un mois avec ta sœur au camp d'équitation.

Puis, soudain, on voit monsieur Demers arriver, tenant en laisse un bébé chien, un colley.

Julyanne court vers son père. Je ne peux réprimer quelques larmes. Cette scène me rappelle trop le jour où j'ai eu Sybil. Ma mère m'en a fait cadeau à Noël, l'an passé. Je me tourne vers Kat qui a la bouche grande ouverte et lui dis :

– Tu dois être contente ! Tu vas être toute seule au camp !

Elle ne bouge pas. Je crois qu'elle vit un choc nerveux (de bonheur ?).

Tous les amis de Julyanne se ruent vers le chiot. Je fais de même en invitant Kat qui ne bouge toujours pas. Elle tient son verre de punch, la bouche ouverte, assise bien droite au fond de la cour. Et, bien que je lui fasse signe de venir, elle ne semble pas me voir.

14 h 21

Je peux enfin flatter le chien. C'est une femelle et Julyanne a décidé de l'appeler Lady, comme dans *La Belle et le clochard*. Julyanne est dans un *trip* « Disney ». Elle est toute douce (pas Julyanne, la chienne) et elle me mordille les doigts en sautillant et en remuant sa queue.

Monsieur Demers : Julyanne, il va falloir que tu t'en occupes.

Julyanne : Oui, papa, je te le promets ! Merci, merci, merci !

Madame Demers : T'es contente, ma puce ?

Julyanne : Vraiment trop !!!

Hum... Ça me rappelle ma promesse à moi aussi. Que j'ai tenue deux semaines. Peut-être trois. Ou quatre. Après, ma mère a toujours dû me rappeler mes tâches. J'avoue que ça doit être gossant. Mais ce n'est pas de la mauvaise volonté ! C'est total imputable à un défaut que j'ai de ne pas avoir la notion du temps.

Je me lève et m'avance vers Kat, encore assise dans la même position (sauf qu'elle a fermé sa bouche).

Moi : Ça va ?

Kat : Je... Je...

Moi : Tu vas pouvoir jouer avec le chien, toi aussi...

Kat : Je...

Moi : Tu... ?

Kat lève les yeux vers moi et dit :

– Comment elle va l'appeler ?

Moi : Lady.

Kat : Pas pire... comme nom. Je veux dire, ce n'est pas ce que j'aurais choisi, mais... Pourquoi ils l'ont donné à elle ? Pourquoi pas à toute la famille ?

Moi : C'est à toute la famille pareil. Tu vas pouvoir t'en occuper aussi.

Kat : Elle va tellement s'en servir pour me faire faire n'importe quoi.

Moi : Je pense que ta sœur veut juste être ton amie, c'est tout... Julyanne arrive près de Kat avec Lady dans ses bras, qui se débat.

Julyanne : Regarde, c'est ta sœur Kat et ton amie Aurélie.

Julyanne fait faire un salut avec la patte de Lady et la met dans les bras de Kat. Lady se met à lui lécher la joue en branlant la queue. Et on rit toutes les trois.

Quelqu'un a remis la musique et Kat, qui se fait encore lécher la joue par Lady, dit :

– Tu n'aimes pas ça, cette musique-là, hein ? Non, non, non ! T'as du goût, toi !

Et Julyanne reprend son chien en disant :

– Elle aime la musique que moi j'aime parce que c'est MON chien !

Kat me regarde et me dit :

– Tu vois ?

Et moi qui, pendant un court instant, avais cru à une trêve !

16 h 01

Ma mère est sur la terrasse et lit un magazine. Elle a les jambes allongées et, à ses côtés, un verre de rosé. Sybil est à ses pieds sur la chaise longue. Je m'accroupis et j'appuie ma tête dans la fourrure de ma chatte en lui caressant le cou.

Ma mère : Ça va, Choupinette ?

J'aurais le goût de lui dire plein de choses qui se bousculent dans ma tête. Que je suis fâchée, pour le déménagement. Que je m'excuse pour les promesses non tenues. Et que ma meilleure amie, aujourd'hui, a été jalouse de sa sœur parce qu'elle a reçu un chien en cadeau, mais que moi, j'ai été jalouse de ma meilleure amie parce qu'elle a une famille parfaite. Je voudrais lui dire toute ma colère.

J'essaie de formuler une phrase qui se tient, sans succès.

Elle commence à me caresser les cheveux.

16 h 23

Plein d'odeurs se mélangent dans mes narines. Il y a celle du printemps. Des feuilles dans les arbres, de l'herbe, de l'asphalte chaud. Celle des pages parfumées du magazine de ma mère, mélangée à son parfum à elle (fleuri/vanillé) et à l'arôme de son vin rosé.

Tout en continuant à me caresser les cheveux, elle dit (et je cite) :

– Dire qu'il y a bientôt seize ans, tu étais un tout petit bébé dans mon ventre.

Je me lève d'un coup, complètement dégoûtée :

– Oh, maman!!! OUACH!!!!!!!!

Ma mère : Quoi? Qu'est-ce que j'ai dit?

François Blais arrive sur ces entrefaites et dit :

– Salut, les filles! J'ai acheté des steaks qu'on pourrait se faire sur le barbecue.

Je le bouscule pour entrer par la porte patio en disant :

– J'm'en vais changer la litière, là! Tu vas être contente pour une fois!

19 h 43

Au souper, ma mère m'a sommée de lui dire quelle mouche m'avait piquée, et je lui ai dit que j'avais pris un peu trop de soleil (explication qui a semblé lui convenir, et qui a fait bifurquer la conversation sur la température).

Je suis seule dans ma chambre et je regarde par la fenêtre dans l'espoir de voir arriver Kat, mais elle doit être prise par l'arrivée de Lady. Le visage plaqué de Robert Pattinson sur l'affiche de *Twilight* semble me regarder amoureusement. Alors, je lui dis :

– Désolée, je ne peux passer la soirée avec toi, j'étudie.

P.-S. : Perdre mon travail était ce qui pouvait m'arriver de mieux dans la vie, compte tenu de mon horaire scolaire chargé.

19 h 45

Je retire mes paroles. Il pourrait m'arriver mieux.

19 h 46

Je pourrais dresser toute une liste.

19 h 47

Mais ça ne me tente pas.

19 h 48

C'est juste que 1) j'ai plus de temps à consacrer à mes études (non négligeable) et que 2) j'ai reçu une paye !!!! (Et je me suis acheté la jupe Volcom que je voulais depuis TOUJOURS. Bon, OK, quelques mois...)

Lundi 4 juin

En me rendant à ma case pour chercher mes livres pour mon prochain cours, j'entends plein de gens du groupe de JF parler de son exposé oral. Il a choisi d'analyser une fable de Gilbert Zanella intitulée *Le scorpion et la grenouille* (alors que tout le monde a pris un roman, mais la consigne disait bien « un texte de votre choix »). Il paraît qu'il aurait parlé du fait qu'il est gai devant toute la classe.

Il a l'air d'en avoir tellement bouché un coin à tout le monde !!! Je me sens comme pleine de fierté pour mon ami, même si je ne comprends pas trop ce qui s'est passé puisque je n'entends que des bribes d'anecdotes.

10 h 35

Puisque tout le monde l'encense, Kat et moi, qui devons faire nos exposés au prochain cours, sommes allées le voir à sa case, pensant qu'il pourrait peut-être nous motiver. Et, calme et posé comme à son habitude (j'aurais pensé qu'il était sous l'effet de l'adrénaline ou quelque chose du genre), il nous a raconté.

10 h 41

La fable qu'il a choisie parle d'un scorpion qui demande à une grenouille de l'aider à traverser un cours d'eau. La grenouille refuse en prédisant que le scorpion va la piquer. Le scorpion lui jure le contraire. Elle l'emmène donc sur son dos et, au milieu de l'étang, le scorpion la pique. Pendant qu'ils coulent tous les deux, la grenouille lui dit qu'il est fou, car, en la piquant, il les a condamnés tous les deux à la mort. Et le scorpion lui répond : « Piquer est dans ma nature... »

Ensuite, il aurait parlé de son homosexualité et expliqué qu'il se sent libéré parce qu'il assume ce qu'il est profondément. Et il aurait terminé sur une note d'humour ironique en disant qu'il est également plus intelligent que tout le monde, mais que ce n'est pas « dans sa nature » de rejeter les gens inférieurs à lui, donc qu'il accepterait toujours ses inférieurs. Et tout le monde a ri.

On était pendues à ses lèvres en écoutant les détails de son exposé. Puis, Kat lui a sauté au cou pour lui signifier son admiration. Et il nous a donné des conseils pour notre présentation.

10 h 51

Mon Dieu ! Il sera difficile de faire mieux que JF ! Et le pire qui pouvait m'arriver est arrivé : j'ai été pigée pour être la première à passer, ce qui me rend encore plus nerveuse.

Faire un exposé est vraiment une torture. Carrément. Je n'ai pas d'autre mot. Si j'étais, disons, une espionne internationale et que je devais garder des secrets d'État et qu'on me sommait de dire ce que je sais sous peine de devoir faire un exposé oral, je dirais tout. Sur-le-champ.

Je m'avance devant la classe. J'ai pratiqué, hier, devant ma mère et François, et ils trouvaient que j'étais bonne, mais François trouvait que je mâchais un peu mes mots. Alors, ce

119

commentaire me reste un peu en tête, ce qui me stresse davantage.

Ce qui est certain, c'est que je déteste faire des oraux. Je préfère rester dans l'ombre, qu'on ne me remarque pas. Qu'on m'oublie.

10 h 52

Devant la classe.

Je regarde Kat qui ne me regarde pas, car elle révise les notes de son propre exposé (comme la moitié des autres élèves, d'après ce que je constate). J'avale ma salive. Et je déglutis.

Moi : Euhm... je voudrais vous présenter un livre que j'ai redécouvert il n'y a pas très longtemps en faisant mes boîtes. Parce que je déménage (information non prévue dans mon exposé. Important : garder le focus). En tout cas. Ça s'intitule *Jonathan Livingston le goéland* et c'est paru en 1970 sous le titre original de *Jonathan Livingston Seagull* (mon accent francophone fait rire un peu la classe quand je prononce *Seagull*), de l'auteur, euh... écrivain, ben auteur, en tout cas, écrivain, j'sais pas trop la différence (je regarde Sonia et elle tourne sa main m'invitant à poursuivre), en tout cas, Richard Bach. Jonathan est un goéland passionné par le vol, qui veut toujours aller plus loin et plus vite. Il cherche toujours à améliorer ce qu'il sait faire et à découvrir de nouveaux horizons, mais les autres membres de son espèce... (Les autres membres de son espèce ??? Est-ce que ça se dit ? Je suis toute mêlée... Je regarde mes fiches, merde, je suis toute perdue dans mes notes.) Euh... (Je regarde de nouveau.) En tout cas, les autres goélands l'incitent à faire comme eux en ne prenant les airs que pour se nourrir. Pour pêcher, genre. Parce que les goélands pêchent. D'habitude. Non, mais c'est parce qu'ici, on les voit plus manger des frites dans les restos, mais en tout cas, dans le livre, ils pêchent. En tout cas, pas rapport. Scusez, c'est parce que je pensais à... quand je travaillais dans un resto de sous-marins, il y avait plein de goélands qui fouillaient dans les poubelles. En tout cas, tout ça pour dire que, dans le livre, ils pêchent. Habituellement. En campagne, genre. Mais peut-être que c'est à cause de ce goéland que... Ah! Parce que dans le livre, Jonathan se fait chasser du clan et découvre plein d'endroits inconnus!!! Peut-être qu'il a découvert le *fast-food*!!! Genre que quand on va ailleurs, on ne trouve pas mieux, mais des fois pire!

Sonia : Est-ce que c'est la conclusion de ton analyse de ce texte, Aurélie?

Moi : Ben... en fait, non. C'est juste une pensée spontanée que j'ai eue en parlant. Mais à ma première écoute... Parce que je ne l'ai pas lu, c'était un CD audio que j'avais du texte. Que ma grand-mère m'avait donné en cadeau. En tout cas. Pas important. Mais ce que j'ai retenu du texte, c'est que nous sommes libres d'être ce que nous sommes et d'aller où nous voulons aller, même si ce n'est pas ce qu'on avait prévu pour nous. Mais que, trop souvent, nous n'osons pas. Mais j'ajouterais quand même que, après mûre réflexion, des fois, aller ailleurs nous conduit de la mer pleine de poissons à un stationnement plein de poubelles. Voilà. C'est ben beau, vouloir aller ailleurs et où on veut, mais faut quand même choisir la bonne place.

Fait que c'est ça. Parce que des fois on est obligé. Pis c'est juste... plate. Je pense que les gens qui écrivent les fables et les paraboles se contredisent ! L'un, genre le goéland, transgresse sa nature, l'autre, genre le scorpion, la respecte tellement qu'il en meurt. Qu'est-ce qu'il faut retenir de tout ça ?

Kat est la première à applaudir (mais je vois que c'est seulement par solidarité).

Sonia me regarde comme si j'étais tout droit arrivée de la planète Mars et que j'étais gluante avec des antennes.

J'avoue que j'ai débordé un peu de mon sujet. J'ai peut-être été influencée par l'exposé de JF. Il faudrait que je prépare mieux mes fiches en ne faisant que des notes pour me rappeler de ce que je dois dire. Parce que là, je ne m'y retrouvais plus...

18 h 02
En arrivant, ma mère était tout énervée et avait hâte de savoir si j'avais réussi mon exposé.

Moi : Ben... sur le coup, j'ai été inspirée et j'ai... improvisé.

Elle m'a regardée, perplexe.

Moi : Mais... ç'a bien été, je pense, en général.

Elle continue de me scruter.

Moi : J'ai juste dit que des fois, on quitte la mer pleine de poissons et qu'on échange quatre trente sous pour une piastre et que c'est pas ben ben mieux. Vu que, t'sais, les goélands vident les poubelles des restos.

Ma mère : Oh nooon ! Tu n'as pas dit ça ?!!

Moi : Ben c'est vrai ! Des fois, changer pour changer, c'est pas mieux. (Message, message.)

Ma mère : Mais ce texte est une ode à la liberté. Il nous encourage à être ce qu'on a envie d'être.

Moi : Mais des fois on pense qu'on va arriver à quelque chose et on se ramasse dans les poubelles. Je voulais juste ajouter un point de vue réaliste, c'est tout.

Ma mère : Aurélie ! ! !

Moi : Ben quoi ? Me semble que si j'étais un goéland, j'aimerais mieux pêcher des poissons dans la mer que de fouiller dans les poubelles en ville !

Ma mère : Mais Jonathan ne fouille pas dans les poubelles, il découvre le monde !

Moi : Oui, mais l'histoire est courte. Ça ne dit pas tout. Qui sait ce qui est arrivé après ?

Ma mère : C'est une métaphore sur la liberté. Je trouve ta vision bien pessimiste.

Moi : C'est ben beau, les métaphores, mais il y a la vraie vie, aussi ! C'est pas vrai qu'on peut faire ce qu'on veut parce que, si on pouvait, moi, je resterais ici.

Ma mère : On a déjà parlé de ça. Je n'ai pas envie de revenir sur ce sujet-là.

Moi : Ben non, on peut jamais parler avec toi ! Si on parle de papa, tu pleures, pis si je te dis que ça me fait de la peine de déménager, tu ne te sens pas respectée dans tes décisions ! C'est sûr que tu es pro-Jonathan le goéland, parce que c'est TOI, le goéland qui peut faire ce qu'il veut ! Mais les autres goélands qui sont obligés de l'endurer, lui, là, qui veut être libre, ben ça les rend peut-être malheureux !

Ma mère : T'aurais peut-être aimé mieux que je ne rencontre jamais personne et qu'on reste ici toute notre vie à pleurer la mort de ton père ?

Moi : BEN OUI, C'EST EN PLEIN ÇA QUE J'AI DIT !

Ma mère est allée s'enfermer dans sa chambre en claquant la porte. Je l'ai imitée (mais j'ai claqué plus fort).

Mercredi 6 juin

Ma mère se sentait l'âme généreuse ce matin et a décidé de venir nous reconduire, Tommy et moi, quand il est venu me chercher pour aller à l'école.

Quand elle a offert de venir nous reconduire, j'ai dit oui, mais vraiment avec un air que ça ne changeait absolument rien pour nous (même s'il pleut à boire debout).

Elle a dit :

– Il pleut, je peux aller vous reconduire.

J'ai répondu :

– Ouain, si tu veux. Mais les parapluies, ça existe.

Elle a dit :

– Il vente pas mal, tu vas briser ton parapluie.

J'ai haussé les épaules et j'ai répliqué :

– Ben, si t'as le temps...

Parfois, je me sens un peu coupable de lui répondre comme ça. Mais c'est plus fort que moi. Je lui en veux. Je lui en veux tellement que j'ai du mal à me concentrer sur autre chose. Mais je respire : ah-fu, ah-fu.

En plus, on dirait que François s'est aussi ligué contre moi par solidarité pour ma mère.

Exemple : L'autre jour, il lisait son journal. Il a regardé son horoscope et a dit tout fort :

– Mon horoscope... Taureau. Facteur chance : quatre étoiles. Facteur bonheur : six étoiles. *Yes !*

Il a regardé ma mère et il a continué :

– France. Balance. Facteur chance : cinq étoiles. Facteur bonheur : six étoiles.

Ils se sont tapé dans la main.

Il m'a regardée et il a dit :

– Aurélie. Cancer. Facteur chance : deux étoiles. Facteur bonheur : trois étoiles. Ouf.

Là, il a éclaté de rire (carrément) et il a lancé :

– Va falloir que tu règles ton problème !

Ah-fu, ah-fu. Surtout, ne pas m'emporter. Ah-fu. Ah-fu.

Note à moi-même : Tenter d'adopter une attitude pacifique.

Note à moi-même n° 2 : Pour être certaine que mon n° 1 fonctionne, tâcher d'y ajouter quelques techniques de yoga.

Note à moi-même n° 3 : Ainsi que certaines notions pacifiques inculquées par Gandhi et par le dalaï-lama.

Note à moi-même n° 4 : Carrément m'inspirer de tous les peuples pacifiques. On n'est jamais trop prudent.

Vendredi 8 juin

Ma mère est entrée dans ma chambre alors que je faisais mes devoirs et m'a demandé si on pouvait parler. Après plein de blabla au sujet du déménagement, m'expliquant que c'était un grand stress, qu'on était toutes les deux énervées, etc., etc., elle m'a dit :

– Je sais que c'est difficile pour toi, mais ça l'est pour moi aussi... Je te demande juste d'avoir un peu confiance. On va traverser ça ensemble.

Si je puis me permettre, c'est ça, le problème avec une mère. On ne peut rester fâchée vraiment longtemps contre elle (sûrement totalement imputable à ses connaissances en stratégies de marketing)... J'ai bien essayé, ces derniers jours, de lui témoigner ma rage, mais chaque fois, elle, disons, « m'attendrit ». Soit par un *lift* à l'école, soit par un commentaire bien placé, soit par son aide, soit parce qu'elle fait sa sauce à spaghetti irrésistible, soit par un geste tendre (je ne peux absolument pas lui résister quand elle passe doucement sa main dans mes cheveux). D'ailleurs, lorsqu'elle me passe la main dans les cheveux, je la repousse toujours. Mais en ce moment, j'ai le goût de la laisser faire.

Note à moi-même de la plus haute importance: NE. JAMAIS. DIRE. ÇA. À. PERSONNE.

19 h 10

Ma mère: Et puis, tu ne peux pas rester fâchée contre moi.

Moi: Pourquoi?!

Ma mère: Parce que demain je t'emmène rencontrer Simple Plan.

Samedi 9 juin

Mon Dieu, je vais mourir. C'est certain, je vais mourir. Je suffoque. Je n'ai plus d'air. Ma tête va exploser. Vais-je m'évanouir? Peut-être!

Simple Plan signe des autographes dans un magasin de disques près d'ici aujourd'hui. Quand ma mère m'a dit ça hier, j'ai cru faire une syncope. (Comment s'est-elle souvenue que j'aime ce groupe, alors que sa mémoire est si déficiente? Mystère!)

Il n'y a pas à dire, elle sait comment me faire oublier nos *légers* différends. Après tout, qu'est-ce que ça peut bien faire de déménager? Ce n'est qu'une formalité. Des murs, de la brique, du ciment. Je suis tellement excitée à l'idée de rencontrer mon groupe préféré que je sens que j'atteins un paroxysme, côté bonheur, et que tout le reste ne compte plus. (Qu'est-ce que je disais au sujet du marketing?)

Hier, quand ma mère m'a dit ça, j'ai gardé une part de doute, question de ne pas être trop déçue. Mais j'ai quand même tout de suite sauté sur le téléphone pour appeler Kat. La sonnerie m'a parue interminable et, quand Kat a répondu, j'ai crié:

– KAAAAAAAAAAAAT!!!WINAWINAWIN-LENLAN!!!!! AHHHHHHHHH!!!!!!!!!!

Kat: WIIIIIIIIIIINANINANLENLAN!!!!!! AH!!!!!!!!!!!!!!!!!!!!!

Et ma mère, qui était toujours à côté de moi, a dit en riant:

– Vous vous comprenez?! Faites attention, vous allez alerter tous les chiens de la ville!

Puis ce matin, après une nuit d'insomnie à penser à tout ce que je pourrais dire aux membres du groupe, alors que je lisais la pinte de lait (je connais la boîte de céréales par cœur et je me cherchais une nouvelle lecture), François a dit:

– Hé, regarde, il y a justement un article ici qui parle de l'événement de Simple Plan d'aujourd'hui.

Moi: Montre!

François: Ah, le journal t'intéresse maintenant?

Et il l'a caché derrière son dos.

Je lui ai sauté dessus pour le lui voler et il a dit:

– Avoir su que ça prenait Simple Plan pour t'intéresser au journal, j'aurais utilisé la tactique avant.

J'ai dit:

– Ah, c'est une blague... Vraiment pas drôle.

Il a sorti le journal de derrière son dos et j'ai lu l'article.

Alors, après avoir lu l'article ce matin, j'ai appelé Kat pour lui demander si elle venait toujours et elle a dit :

– T'es sûre ??? Vraiment sûre que c'est vrai ???

Moi : C'est écrit dans le journal !!!!!!!!!!!!!!!!

Kat : Wouaaaaaaaaaaahhhhhhh !!!!!!!!!!!!!!!!!!!!

Moi : Wouaaaaaaaaaaahhhhhhhhhhh !!!!!!!!!!!!!

Ma mère a dit, en faisait ses toasts :

– Coudonc, tu doutais de moi ou quoi ?

13 h 21

Kat a invité Julyanne. Au début, elle ne voulait pas venir pour rester avec Lady (qui, paraît-il, pleure souvent la nuit, ce qui brise le cœur de Julyanne, alors que ses parents lui disent de la laisser faire pour qu'elle s'habitue. Ils devront sûrement suivre des cours de dressage). Mais Kat l'a convaincue en lui disant que c'était peut-être quelque chose qu'elle vivrait une fois dans sa vie, alors elle est venue. Ses parents lui ont assuré qu'ils s'occuperaient bien de son chien.

13 h 45

La file est interminable, mais ça n'aurait pu être autrement pour des vedettes telles que Simple Plan. Oh ! Mon Dieu ! Simple Plan. Je peux les voir !!! (Juste le bout de la manche du chandail de Jeff Stinco, mais quand même !)

13 h 46

Tout le monde se met à crier, alors Kat, Julyanne et moi on les imite. Ma mère rigole et nous prend en photo pendant qu'on fait la file. On regarde tout de suite ce qu'elle a pris et on rit, car on voit vraiment le fond de la gorge de Kat.

13 h 47

Je sais très bien ce que je vais dire à Simple Plan. Exactement ceci : « Merci pour votre musique, vous êtes d'excellents artistes. » Ou serait-ce mieux : « Vous avez donné une voix à toute une génération » ? Non... peut-être un peu trop. Ça sonne presque comme un discours politique. Non. « Merci pour votre musique, vous êtes d'excellents artistes », c'est beaucoup mieux.

13 h 49

Il reste cinq personnes avant nous.

« Merci pour votre musique, vous êtes d'excellents artistes. Merci pour votre musique, vous êtes d'excellents artistes. »

13 h 51

C'est à nous !!! Oh mon Dieu !!!!!!! Tout mon corps tremble. Ils sont tous là, alignés, assis derrière une table : Pierre Bouvier, Sébastien Lefebvre, David Desrosiers, Jeff Stinco et Chuck Comeau. Ils nous sourient. Et j'ai l'impression que je vais défaillir. Mes jambes rentrent dans le sol, j'ai la tête qui tourne, le souffle court. Kat saute sur David Desrosiers et lui dit :

– T'es mon idole ! Je capote sur toi ! Depuis toujours ! Je suis ta *number one fan* ! J'capote ! J'capote ! J'capooooote !

Elle rougit et je crois bien qu'elle va s'évanouir, mais elle ne s'évanouit pas et David Desrosiers lui signe son album ainsi que son t-shirt.

J'avale ma salive et je lance ma phase :

– Merci pour les tarziques.

Chuck Comeau me regarde et sourit en signant la pochette de mon CD. Je voudrais reprendre ma phrase mais j'en suis incapable. Je lance :

– Je veux dire : musique. Artistes. De musique.

Julyanne, elle, est rouge et a les larmes aux yeux.

Ma mère s'approche et leur dit :

– Merci, messieurs, de faire rêver nos jeunes filles comme ça. Est-ce que ça vous dérange que je prenne une photo ? Placez-vous, les filles.

On se place devant la table du groupe.

Ma mère a la caméra dans les mains et tremble.

Ma mère : Voyons ! Comment ça marche ?

Moi : T'en as pris tantôt !

Ma mère : Je sais, mais ça ne fonctionne plus. (Aux membres de Simple Plan.) *Sorry.*

Moi : Ils parlent français !

Ma mère : Sur quel piton il faut appuyer ? Je ne vois que les photos qu'on a prises…

Le garde demande à ma mère de circuler, pendant que Kat, Julyanne et moi prenons encore la pose.

Kat leur dit :

– Un instant, ce sera pas long !

Elle s'avance vers ma mère, replace la caméra et lui dit d'appuyer sur un bouton.

Ma mère tremble encore plus et nous prend en photo. Puis, timidement, dit :

– Un instant, je vais en prendre une autre, le flash n'a pas fonctionné.

Elle appuie une fois de plus sur le bouton.

14 h 25

Assises dans la voiture, ma mère, Kat, Julyanne et moi rions aux larmes. On hésite, en fait, entre pleurer et rire. La photo est complètement horrible !!! Kat a un grand sourire (mais cache David Desrosiers) ; moi, j'ai un sourire de malaise absolu ; Julyanne est en larmes et a les yeux tout rouges ; et les gars de Simple Plan (ceux qu'on voit) sourient de leur mieux étant donné la situation. Ma mère ne peut s'arrêter de rire tellement elle se trouve nulle avec l'appareil photo.

Kat : Et toi, Au, c'était quoi cette, hahahaha, affaire de tarzique ? Hahaha !

Moi : HAHAHAHAHAH ! J'ai mélangé « musique » et « artistes » ! HAHAHAHAHA-HAHA !

Julyanne : Et moi je pleurais, dah !

Moi : Et maman, c'était quoi ton rapport avec : « Merci de faire rêver nos jeunes filles » ? Ça sonne trop bizarre !

Ma mère : HAHAHAHAHA ! Je le sais ! Excusez-moi ! HAHAHAHA !

On rit tellement qu'on n'est pas capables de quitter le stationnement. Alors, ma mère place un CD dans le lecteur de la voiture et on écoute la chanson *What If* en chantant très fort les paroles pour nous défouler. Je suis surprise de la culture « simpleplanesque » de ma mère. Elle connaît toutes les paroles. Comme si elle avait lu dans mes pensées, elle dit :

– À force de les entendre à tue-tête dans ta chambre, t'sais...

19 h 10

Kat a soupé avec nous. François a bien ri de ma mère et de son incompétence en matière de caméras. Je lui ai révélé aussi qu'elle tremblait devant les gars de Simple Plan (ce qui a semblé le rendre un peu jaloux, hihi!). Ma mère s'est défendue en disant:

– C'est la caméra qui me stressait!

François (avec un sourire en coin): Ouais, ouais!

20 h

Kat m'a dit que rien ne pouvait la déranger maintenant qu'elle avait touché à David Desrosiers.

Pour ma part, c'est d'avoir vu, pour une rare fois, ma mère rire autant. Le reste, c'est-à-dire avoir l'air nouille devant mon groupe préféré, n'est que le résultat de la conspiration mondiale dirigée contre mon destin. Et après quinze ans, on s'y fait.

Lundi 11 juin

Journée carrière!
Yé! Pas d'école cet après-midi!

12 h 17

J'arrive à l'hôpital pour rencontrer Claire Bonneau, la directrice des communications.

Tout le monde fume près de l'entrée. La loi stipule qu'on ne peut fumer à moins de neuf mètres de l'entrée de ce genre d'établissement. Ça ne me semble pas assez loin, car, pour entrer, je dois tout de même traverser un nuage de fumée. Moi, en tant que directrice des communications, je ferais changer ça.

Je pourrais même faire une grosse campagne antitabac et engager ma grand-mère Laflamme comme porte-parole. Elle a réussi à arrêter de fumer grâce à moi l'été dernier. Bon, elle a eu quelques rechutes, mais elle y est parvenue quand même. Je doute que ma promesse d'arrêter de manger du chocolat (qui était l'entente que j'avais prise avec ma grand-mère) puisse convaincre les gens d'arrêter de fumer. Mais je trouverai bien autre chose.

Je note sur mon calepin : « Apporter changement à l'entrée. Campagne antitabac. Trouver idées de motivation. Ma grand-mère = porte-parole ? »

12 h 45

Mon rendez-vous était à 12 h 30 à l'entrée. J'attends toujours Claire Bonneau.

Je note sur mon calepin : « Profession très prenante, peut parfois générer conflits d'horaires. »

12 h 47

Je commence à avoir un peu faim. Je n'ai pas mangé parce que je croyais que, puisque la dame m'avait donné rendez-vous à l'heure du dîner, on mangerait ensemble.

12 h 55

Attendre, attendre... Ça ne sent pas très bon ici. Et tout est brun et beige, pas très ensoleillé.

Je note sur mon calepin : « Certains inconvénients à cette carrière : n° 1 : environnement de travail à l'odeur incommodante. »

12 h 56

Je vois une dame qui semble chercher quelque chose sans trouver. Elle semble stressée et tourne les talons. Je cours vers elle et je lui demande si elle est Claire Bonneau.

Elle (essoufflée) : Oui, c'est moi. Amélie ?

Moi : Aurélie...

Je ne sais pas pourquoi tout le monde se trompe toujours entre Amélie et Aurélie. ÇA M'ÉNEEEEEERVE ! En quoi c'est plus facile de retenir Amélie qu'Aurélie ?

Je note dans mon calepin : « Profession où il n'est pas nécessaire d'avoir une mémoire infaillible. (Bon pour moi.) »

13 h 03

Claire m'a emmenée dans son bureau et m'a dit de m'asseoir sur une chaise dans le coin.

Je m'assois en déposant mon sac à côté de moi et je prends mon calepin de notes.

Elle s'assoit à son tour et je vois un papier ciré qui enveloppe un sandwich à demi mangé.

13 h 24

Je la regarde faire depuis une vingtaine de minutes. Elle fait des appels au téléphone, joue avec des papiers. Elle ne m'a pratiquement pas adressé la parole. Pour tout dire, elle est bête comme ses pieds ! Et encore, je suis certaine que ses pieds sont plus sympathiques. Pour m'en assurer, je me penche un peu vers ses souliers.

Je note dans mon calepin : « Être sympathique = optionnel. Avoir de beaux souliers aussi. »

14 h 46

J'aurais vraiment le goût de sortir mon iPod et d'écouter de la musique. Je m'emmerde solide ! C'est long. Plus long qu'à l'école. Plus long qu'un cours de maths. Ou plus long que lorsque monsieur Létourneau relate des dates en histoire. Plus long que les sermons de ma mère. Je compte les secondes. Madame Bonneau tape une lettre à l'ordinateur sans accorder la moindre attention à ma présence.

Son bureau est vert vieilli (je ne sais comment mieux le décrire). Il y a plein d'articles de journaux sur les murs. Il y a quelques photos. Elle avec deux enfants. Elle avec un homme. Elle avec une équipe de travail.

Aucune tuile au plafond ne peut être enlevée pour éventuelle fuite.

Je me retourne vivement lorsque j'entends le téléphone sonner et qu'elle répond : « Oui, bonjour ? » de façon hyper bête. J'ai soudainement un *flashback* du temps où je sortais avec Nicolas ; une fois, je l'avais appelé chez sa mère.

Oh. Mon. Dieu.

Serait-ce la mère de Nicolas?

Mon cœur se met à palpiter.

Il y a un cadre sur son bureau. Je ne peux le voir, car il est face à elle. C'est peut-être une photo de Nicolas. Mon cœur s'emballe, je deviens obsédée par l'idée de découvrir qui est sur ce cadre.

Je m'avance un peu vers son bureau, faisant mine de m'intéresser aux articles de journaux sur le mur. Je me place en biais du bureau pour regarder et je tourne la tête. Je ne vois pas bien le cadre, car un rayon de soleil cache l'image. Il faudrait que je me place d'un autre angle. J'incline un peu ma tête vers le bas tout en la tournant. Je ne vois pas encore assez loin. Je me penche un peu vers l'arrière et tourne la tête encore plus. (Je suis surprise de ma souplesse, sûrement imputable à mes cours de yoga.)

Soudain, plusieurs points blancs apparaissent devant mes yeux, me faisant perdre l'équilibre, et j'attrape un coin du bureau avant de tomber par terre.

Madame Bonneau (toujours au téléphone): Monique, je te rappelle. (Elle raccroche.) Amélie, qu'est-ce que tu fais?! Ça va bien? Tu es diabétique? Hypoglycémique?

Elle me tend un bonbon.

Accroupie sur le sol, je me touche le front, car je me sens encore un peu étourdie.

Madame Bonneau claque des doigts devant mon visage.

Clac, clac, clac!

Moi (en attrapant le bonbon – feindre l'hypoglycémie est une bonne façon de s'en sortir, plutôt que de passer pour une fouineuse): Merci...

Je me relève et retourne m'asseoir dans mon coin, un peu déçue.

Note à moi-même : Si je ne deviens pas directrice des communications d'un hôpital, ne jamais envisager l'espionnage comme carrière de remplacement. Zéro dans mon champ de compétences.

15 h 02

Madame Bonneau : Si tu veux, tu peux me poser quelques questions, je viens de me sortir d'un *rush*. Je t'ai vue prendre des notes, tu as dû observer des choses qui t'intriguent. Je suis à ta disposition.

Moi : Euhm... je... Oui, des questions.

Oups. Elle m'a un peu prise par surprise. Je parcours un peu mes notes. Je ne suis quand même pas pour lui demander de confirmer qu'être sympathique est optionnel. Ou qu'avoir une ride sur la commissure des lèvres nous donne un air pincé (note que j'ai prise juste avant de formuler mon hypothèse selon laquelle cet air bête est la mère du gars que j'aime ! Que j'aimais. Au passé. Maintenant c'est terminé. Aucun sentiment à son égard ne m'habite. Et découvrir si elle est sa mère n'est que pure curiosité de ma part. Rien de plus. Même que mon pouls accéléré est totalement dû au fait que je suis restée assise longtemps et que marcher autour du bureau a activé ma circulation sanguine. D'ailleurs, mon quasi-évanouissement est sûrement dû au fait que je me suis levée trop vite. Et ce, même si je me suis levée cinq minutes avant que ça arrive. Ce ne serait pas la première fois que mon corps agit à retardement). C'est là que je lis cette note : « Possibilité de tomber amoureuse d'un urgentologue. »

Moi : Est-ce que... les urgentologues sont... gentils ?

Madame Bonneau : Oui, mais bon. Si tu veux les *booker* en entrevue, ils te répondront toujours qu'ils n'ont pas le temps.

Prise de court, je regarde sur le papier que le prof d'éducation au choix de carrière nous a donné et je prends une des questions proposées.

Moi : En quoi consiste votre travail ?

Madame Bonneau : Tu ne m'as pas observée toute la journée ?

Moi (dans ma tête : Oui, mais tout ce que j'ai vu c'est un air bête au téléphone ; dans la vraie vie) : Ça... ne fait pas si longtemps que je suis ici...

Madame Bonneau (exaspérée) : Faire le suivi entre médecins et journalistes. S'assurer de la bonne image de l'hôpital dans les médias. Écrire les communiqués de presse sur les nouveautés de l'hôpital, comme des rénovations, plus de nourriture santé, etc. S'il arrive qu'un patient décède des suites d'une erreur médicale, je dois m'assurer que l'affaire ne prenne pas trop d'ampleur dans les médias.

Moi : Même si c'est... une erreur ?

Madame Bonneau : L'erreur est humaine. On en voit de toutes les couleurs ici. Et on manque de personnel. Tout le monde fait ce qu'il peut.

Moi : Mon père est décédé d'une embolie pulmonaire.

Madame Bonneau : Mes condoléances.

Moi : Il a peut-être été victime d'une erreur médicale...

Madame Bonneau : Tu penses ?

Je hausse les épaules et demande :

– Comment on fait pour le savoir ?

Madame Bonneau : Tu es du genre à vouloir accuser les autres de tes malheurs ? Quand notre heure est venue, elle est venue, c'est tout.

Bon, changeons de sujet avant que je la frappe. Elle a le tour de me piquer au vif avec son ton méprisant et son air hautain. On dirait que j'ai le goût de pleurer, mais pas de peine, de rage. Je me sens tout étourdie à force de me retenir de lui crier que je la déteste et que je souhaite seulement qu'elle ne soit pas la mère de Nicolas.

Après tout, mon vrai but est de savoir si elle l'est. Ce qui me paraît impossible puisqu'elle n'a rien en commun avec lui. Lui, il sent bon. Il est beau. Il a les cheveux châtain clair. Il a les yeux vert émeraude. Et quand il te regarde avec ses yeux (comme l'autre jour devant la poubelle), ça ne peut faire autrement que de te faire une chaleur dans le cœur. C'est vrai, par contre, que depuis qu'il m'a embrassée, il y a deux mois, pendant que je sortais avec Iohann, il n'a plus jamais été gentil avec moi. Il pourrait y avoir un lien entre le nouveau Nicolas et cette femme. Mais elle n'a pas du tout la même couleur de cheveux que lui. Elle a les cheveux pratiquement noir cendré (une teinture puisque je vois une repousse de cheveux gris) montés en chignon (démodé), un visage austère (laid), des yeux bruns (affreux avec son maquillage raté), elle n'est pas très grande et porte un pantalon gris foncé et une chemise blanche trop laide. Je dois savoir si elle est sa mère. Je change donc de sujet.

Moi : Est-ce que vous avez une famille ?

Madame Bonneau : Ah oui ! C'est vrai ! Tu fais partie de cette génération de jeunes qui ne veulent pas travailler, qui veulent se garder du temps pour leur famille et leurs loisirs ! Ce n'est pas « qu'est-ce que je peux faire pour vous », mais « qu'est-ce que votre entreprise peut faire pour moi » qui compte ! Vous avez été trop gâtés ! Vous êtes des enfants rois ! Mais vous allez voir ! Le marché du travail n'est pas l'école ! C'est *tough* ici ! Vous allez être obligés de vous forcer et vous n'aurez peut-être pas de temps à consacrer à votre famille. C'est ça, la vie, ma fille ! Et peu importe les nouvelles valeurs à la mode – travailler moins et s'amuser plus –, vous allez vous rendre compte que ça ne marche pas comme ça. Quand vous avez un travail, vous devez vous y dévouer corps et âme si vous ne voulez pas le perdre.

Je note sur mon calepin : « Directrice des communications d'un hôpital = travail à proscrire définitivement. »

Madame Bonneau : Qu'est-ce que tu notes ?

Je me sens soudainement submergée d'une émotion que je ne comprends pas, qui monte en moi comme une flamme incontrôlable. Je me lève d'un bond et je dis :

– J'écris que je préférerais être au chômage plutôt que de faire votre métier et de devenir comme vous.

Madame Bonneau : Eh bien, je crois que notre journée s'arrête ici, mademoiselle.

Moi : Tant mieux, j'ai cru que ça ne finirait jamais.

Nous sommes debout, l'une devant l'autre, à nous toiser. Je sens le même picotement sur mon front et des points blancs apparaissent devant mes yeux. Avant de partir, je dois savoir.

— Avez-vous un fils qui s'appelle Nicolas Dubuc ?

Elle : Oui. Tu le connais ?

16 h 01

Je me suis réveillée sur une civière il y a quinze minutes. On m'a fait une prise de sang pour vérifier mon taux de sucre et on m'a prévenue que ma mère avait été informée de ma présence ici et qu'elle s'en venait me chercher. Il paraît que je me suis évanouie et que madame Bonneau m'a fait transporter ici par deux infirmières qui se sont occupées de me faire passer quelques tests.

Quand je me suis réveillée, une des infirmières a pris ma pression et m'a demandé, sur le ton de la blague :

— Comme ça, tu n'as pas survécu à la Bonneau ?

Une autre infirmière m'a raconté que l'élève qui était venue l'an passé était repartie en larmes.

Infirmière n° 1 : Je me demande pourquoi elle donne son nom année après année.

Infirmière n° 2 : Ça doit être pour faire plaisir à ses garçons.

Moi : Mais euh... non, c'est pas à cause d'elle que...

142

Infirmière nº 1 : Ta pression monte. Repose-toi un peu en attendant ta mère.

16 h 02

Je suis assise sur ma civière, dans le corridor de l'urgence, et j'essaie d'observer les urgentologues subtilement en faisant semblant de lire des magazines qui datent de l'époque préhistorique lorsque ma mère arrive. Elle regarde un peu partout, l'air paniqué (trop typique d'elle) et avance d'un pas rapide vers moi en demandant :

– Mais qu'est-ce qui s'est passé ?

Infirmière nº 1 : On a cru à de l'hypoglycémie, puis à une chute de pression, mais tout va bien. Cette jeune fille est en très bonne santé. Elle est juste tombée sur Godzilla.

Ma mère me regarde, un peu confuse, et je hausse les épaules.

Ma mère : Tu t'es évanouie comme ça ?

Infirmière nº 2 : Elle n'avait pas dîné.

16 h 54

Quand ma mère a appris que je n'avais pas dîné « de peur d'être en retard », elle a pété sa coche solide. Puis, elle m'a emmenée manger du chinois en me suggérant de prendre une grosse assiette. Je n'avais pas trop faim vu qu'on m'a donné à manger à l'hôpital, mais j'ai quand même commandé un sauté au poulet sur nouilles croustillantes. Et je lui ai raconté mon horrible journée. En lui confiant que j'avais découvert que c'était la mère de Nicolas.

Ma mère : Nicolas ?... C'est qui, lui, déjà ?

Moi : Voyons ! Nicolas ! Mon premier amour ! Celui qui t'a donné Sybil ! Il est venu manger à la maison déjà. L'an passé.

Ma mère : Ah oui. Désolée. Je suis mêlée dans tes chums.

Moi : J'en ai seulement eu deux !

Ma mère : Avec Tommy et le petit gars chez ta grand-mère... plus ceux de Kat, je deviens mêlée.

Moi : TOMMY N'EST PAS MON CHUM !!! RAPPORT ???

Ma mère : Oui, oui, Nicolas. Vous êtes devenus amis ensuite. Je m'en souviens maintenant. Il était bien gentil, je l'aimais bien.

Moi : Ouain... Tellement que tu lui avais montré toutes mes photos gênantes d'enfance.

Ma mère : Oh, excuse-moi encore ! Tu es tellement belle sur les photos ! Je ne le referai plus, promis. (Elle avale une grosse bouchée de légumes et de nouilles.) Ça m'inquiète que tu te sois évanouie. Si tu vis du stress, tu peux m'en parler, tu sais.

Plein d'affaires me stressent. Pourquoi sommes-nous sur Terre ? Pourquoi mes parents m'ont faite ? Pourquoi mon père est mort ? Pourquoi il y a plein d'injustices dans le monde ? Pourquoi ça n'a pas marché avec Nicolas ? Pourquoi il a une mère bête ? Pourquoi je ne sais pas ce que je vais faire dans la vie ? Pourquoi, pourquoi, pourquoi ?

Moi : Je me questionne sur le sens de la vie. Et je me demande ce que je vais faire plus tard. J'ai l'impression que je ne fais rien de concret. Que je suis inutile.

Ma mère : Tu n'es pas inutile, voyons, cocotte ! Quand on a besoin de réponses, quoi de mieux que les biscuits chinois ?

Elle en commande au serveur qui revient quelques minutes plus tard avec six biscuits.

Ma mère : Tu vas voir, je suis certaine que la phrase philosophique va te guider. Moi, ça m'a souvent aidée à trouver quelque chose qui me manquait pour continuer. Par exemple, une fois, ça disait quelque chose comme : « Un changement important s'en vient. » Ça m'a donné de l'espoir. Et j'ai trouvé ma nouvelle job.

Moi : C'est une bonne idée.

Je sors le biscuit de son emballage. Je le casse en deux et m'empare du papier. Je lis : « Vous aimez les mets chinois. » Je le brandis devant le visage de ma mère qui le lit à son tour. Elle éclate de rire tandis que je la regarde, un peu frue.

Ma mère : Prends-en un autre.

Je déballe à contrecœur un autre biscuit. Je lis : « Vous friez un bon avocat. »

Non seulement c'est faux, mais il y a une faute d'orthographe dans la phrase !

Ma mère rit encore en lisant mon biscuit.

– Tu vois ! Vous friez un bon avocat !

Moi : Ben ç'a pas rapport.

Ma mère : Mais oui, ça veut dire que tu vas être bonne dans n'importe quoi.

Moi : Ou que je vais devenir une tueuse en série qui fait frire des avocats ?

Ma mère commence à déballer le sien, arrête de rire et dépose son papier sur la table en sortant son portefeuille.

Je prends le papier et je lis : « L'âme ne connaîtrait pas l'arc-en-ciel si les yeux ne connaissaient pas les larmes. »

Moi : Pfff ! Quétaine solide !

Ma mère : En effet.

Le serveur arrive, prend nos assiettes et nous demande, avec un léger accent :

– C'était bon ?

Moi (peu convaincue) : Oui... j'adore les mets chinois, surtout les avocats frits.

Et ma mère éclate de rire.

Mardi 12 juin

Aujourd'hui, ce n'était carrément pas ma journée !

Je me suis d'abord réveillée deux fois la nuit dernière, après deux cauchemars horribles ! Le premier : j'étais en voyage avec Simple Plan (?) et, à l'endroit où nous étions, il y avait des journées à thème. La journée rouge, la journée chapeau et... la journée tout nu. Sauf que, rendu à la journée tout nu, je suis la SEULE qui a respecté le thème et je me suis retrouvée SEULE à être TOUTE NUE !!! Devant Simple Plan !!!! (Eux étaient habillés comme d'habitude et me regardaient de façon étrange.)

Dans mon rêve, je me disais : « C'est sûr que c'est un rêve, impossible que j'aie respecté un thème de tout nu. J'ai de la difficulté à me mettre en maillot de bain devant des gens, alors impossible que j'aie consciemment pris la décision de me mettre toute nue juste pour respecter un thème... surtout devant Simple Plan!»

Quel soulagement quand je me suis réveillée!

Ensuite, j'ai rêvé que j'avais déménagé, mais que la maison était infestée par un champignon, ce qui causait de graves maladies. (Bon, j'ai entendu ça quelque part ces jours-ci, Yan Auger racontait à Marion Turcotte que sa maison avait été infestée de champignons qui leur causaient des bronchites et des allergies et qu'ils avaient dû aller vivre ailleurs le temps de tout nettoyer et même de refaire les murs.) Bref, nous arrivions avec ma mère et ma grand-mère Laflamme (je ne sais pas ce qu'elle faisait là, d'autant que François n'était pas là...) et j'essayais d'appeler pour récupérer notre ancienne maison, mais toutes les lignes étaient coupées.

Je me suis réveillée en sueur, toute mêlée. Je ne savais plus où j'étais. J'avais l'impression que nous avions déjà déménagé et que j'en avais perdu des bouts. (J'ai quand même eu un moment de bonheur lorsque j'ai pensé que ça voulait dire que les examens étaient passés, mais j'ai ressenti un immense soulagement d'être dans ma chambre. MA chambre. Depuis que je suis née.)

Il était environ 4 h 30 du matin et je ne me suis pas rendormie.

Alors, j'ai été bougonne toute la journée. Bougonne et fatiguée.

Dans les cours, je n'avais aucune concentra-tion, les profs s'en rendaient compte et m'utilisaient en me faisant lire un passage d'un livre, répondre à une question ou simplement en me demandant de sortir de la lune (juste pour me faire suer davantage).

Au dîner, Kat, Tommy et Jean-Félix parlaient sans cesse et de façon détaillée de leur suuuuu-perbe journée carrière. Kat est motivée comme jamais à devenir vétérinaire. Il paraît même que le vétérinaire qu'elle a rencontré soigne parfois des chevaux. Jean-Félix a adoré sa journée. Il hésite maintenant entre des études interna-tionales et les sciences politiques. Il dit qu'il fera peut-être les deux. Quant à Tommy, il a tellement tripé à la compagnie de jeux vidéo qu'il s'est trouvé un emploi à temps partiel de testeur de jeux. Il va laisser son travail à la station-service pour travailler là-bas. Il paraît que tout le monde était trop cool avec lui. Il a mangé des jujubes toute la journée et découvert plein de métiers qu'il n'aurait même pas imaginés. Ça lui a confirmé son choix d'étudier en musique, mais il aimerait quand même parallèlement étudier en multimédia. Il veut devenir compo-siteur et arrangeur pour des jeux vidéo.

Je lui ai dit :

— Tu ne voulais pas faire un album avec tes compositions ? C'était ton rêve !

Tommy : En rencontrant la gang là-bas, j'ai découvert un autre rêve. J'aime faire de la musique et je m'en fous d'être connu. Même que je n'aimerais pas ça. C'est justement ce qui me retenait de le faire ou de participer à des concours. Mais composer de la musique pour des jeux vidéo, je trouve ça trop *nice* ! J'ai rencontré le gars qui fait ça là-bas et il compose de la musique qui lui est inspirée par un jeu. Solide! Je ne pensais même pas que c'était possible!

Honnêtement, je n'ai jamais vu Tommy aussi volubile. Il parlait, parlait, parlait. Il était tout excité.

Tommy : T'avais raison, Laf! Il faut que j'étudie en musique. Et j'ai trouvé ce que ça me tente de faire avec ça.

Moi : Ben... contente de t'avoir aidé.

Quand je leur ai raconté que, moi, j'étais tombée sur un air bête qui était en fait la mère de Nicolas (j'ai chuchoté ça pour ne pas qu'il m'entende s'il passait près de nous), ils ont éclaté de rire et ont dit :

– Ça arrive juste à toi, des affaires de même.

Trop valorisant.

Pendant que mes amis parlaient, je n'arrêtais pas d'échapper de la bouffe sur moi, sur mon t-shirt, dans mes cheveux, sur mon jean. Si bien que j'ai passé l'après-midi toute tachée, avec les cheveux crottés.

Ensuite, Sonia m'a dit que je n'avais remporté aucun prix au concours de poésie. Même si je n'ai pas participé pour gagner, ça m'a un peu déçue de penser que j'ai mis du temps là-dessus que j'aurais pu mettre sur autre chose (genre mes études... ou YouTube). Elle m'a ensuite dit que mon poème manquait de subtilité. Que, contrairement à d'habitude, j'avais mal utilisé les métaphores, et que mes rimes étaient faciles. Et m'a conseillé de sortir des sentiers battus et d'être plus originale avec les images que les mots évoquent. De ne pas hésiter à explorer l'inconnu.

Humpf. Dur pour l'orgueil.

Comme si ce n'était pas assez, l'orienteur est passé dans les classes pour dire que c'était la date limite aujourd'hui pour faire nos choix de cours pour l'an prochain et que, si on avait besoin d'aide, on pouvait aller le voir à la dernière période. Puisque j'avais de l'éduc à cette période, j'ai évidemment préféré aller voir l'orienteur et j'ai fait un test qui me prédisait une brillante carrière en mécanique aérospatiale. (Ça doit être à cause de mes réponses sur mon grand intérêt pour le cosmos, j'imagine.)

Désespérée en envisageant cette carrière (qui m'épuise juste à la nommer), j'ai rempli le formulaire de choix de cours en ne choisissant que les cours qui me semblaient les moins pires, soit art dramatique, histoire du monde et espagnol. Je ne serai pas avec Kat. Ni avec personne. Mais rien d'autre, en ce moment, ne me tentait. Pas maths avancées. Pas sciences physiques. Ni chimie. Mais mon choix me stresse. Si je m'étais trompée?

Et ce n'est pas tout! Camille Thérien, qui a passé la journée carrière avec ma mère, est venue me voir pour me dire à quel point elle avait passé une belle journée, qu'elle trouve que ma mère est la mère la plus cool de l'univers, qu'elle est drôle et belle, qu'elle aimerait ça avoir une mère comme ça, etc., etc., etc.

Ma mère?! *MA* mère???

En tout cas, ma mère ne m'avait pas dit qu'elle avait passé la plus belle journée de sa vie!

Alors, quand je suis arrivée à la maison, je lui ai dit à quel point Camille Thérien avait apprécié sa journée et je lui ai demandé pourquoi elle ne m'avait rien dit quand on était au restaurant.

Et ma mère m'a répondu (et je cite) : Tu avais passé une si mauvaise journée. Tu as quand même (et là, je le jure, elle a éclaté de rire) terminé sur une civière (gros rire gras). Alors, je ne voulais pas me vanter d'avoir passé une journée extraordinaire avec Camille. Quelle fille super ! C'est ton amie ? Elle comprend vite. Je lui ai présenté tout le monde. Je lui ai fait visiter le bureau. Je l'ai même fait participer à un *brainstorming* pour une nouvelle campagne. Elle a eu de bonnes idées ! Elle m'a impressionnée ! Elle posait plein de questions. Elle s'intéressait à tout ce que je faisais.

Alors, j'ai dit :

– Ben adopte-la !

Et je suis partie.

Elle est venue me voir plus tard dans ma chambre pour me demander si j'étais correcte et je lui ai dit que oui (même si c'était non), mais que je n'avais pas le temps de jaser, car je devais étudier. Avant qu'elle parte, je lui ai annoncé mon choix de cours et elle m'a dit que l'important, c'était que je me sente bien dans ma décision (justement, je n'en suis pas certaine, mais c'est la date limite, alors je ne peux plus changer !), que si jamais j'ai envie de faire autre chose par la suite, je pourrai toujours changer et reprendre des cours. Selon elle, on n'est jamais prisonnier de nos choix, on peut toujours les changer. L'important est que je fasse ce dont j'ai envie. (Bon, j'admets que ma mère est peut-être un peu cool des fois.)

Puis, alors que j'étais réellement motivée à étudier, RIEN ne me rentrait dans la tête. Et je n'arrêtais pas de prendre des pauses pour regarder des vidéos sur YouTube, ce qui m'a fait perdre ÉNORMÉMENT de temps.

Pour me changer les idées, j'ai voulu appeler Tommy. Mais c'était le répondeur. Sur le message, il y avait la voix de Lynne, la belle-mère de Tommy, qui disait :

« Bonjour, vous êtes bien chez les Durocher, laissez un message ! » Et, au moment où j'ai voulu laisser un message à Tommy, une dame a commencé à parler suuuuper leeeenteeeemeeeent : « À la tonalité, veuillez enregistrer votre message. Une fois l'enregistrement terminé, veuillez raccrocher ou faites le carré pour d'autres options. Pour rompre la communication, faites le 1. »

ARRRGGGGHHHHH ! Le message d'explication de comment laisser un message est plus long que le message d'accueil du répondeur !!!

LES RÉPONDEURS ONT ÉTÉ INVENTÉS *AVANT* MA NAISSANCE !!! JE NE PEUX PAS CROIRE QUE DES ANNÉES ET DES ANNÉES PLUS TARD, LES GENS NE SAVENT PAS *ENCORE* CE QU'IL FAUT FAIRE QUAND VIENT LE TEMPS DE LAISSER UN MESSAGE !!!

Ça m'énerve solide !!!

Bref, journée épouvantable. Je me couche. (Je déteste cette expression. Ça sonne laid ! Je réfléchis toujours à la façon dont je pourrais tourner la phrase autrement, mais je n'arrive pas à trouver. « Je vais dormir », ça fait téteux ; « me mettre au lit », ça fait téteux X 1000. Bref, je suis pognée avec « je me couche » et je trouve ça laid.)

152

P.-S.: Je suis super contente d'une chose (t'sais, ça prend aussi des affaires positives), c'est que... Ah, merde. Je ne me souviens même plus de ce que j'avais trouvé de cool dans ma journée! (Espèce de mauvaise génétique de mémoire, grrrrr!)

21 h 34

Ah oui, je m'en souviens maintenant! Il faisait beau et j'ai pu mettre ma nouvelle jupe (même si je l'ai toute salie au dîner).

21 h 35

Bon, faut que je me couche (grrr, espèce d'expression laide!) et demain je vais passer une belle journée. J'espère...

Mercredi 13 juin

PSYCHO
COMMENT RÉALISER TES RÊVES?

Tu as tout plein de rêves et tu ne sais pas par où commencer pour les accomplir? Voici un petit guide pour te lancer sur la voie du succès!

VOIR GRAND

Si tu as un rêve, peu importe lequel, laisse-toi porter par lui. Il te donnera l'énergie d'avancer et la passion d'entreprendre ce qu'il faut pour le réaliser. Et, dans les moments de découragement, tu pourras toujours te rappeler le sentiment qui t'a d'abord animée. Il est important de voir grand et, surtout, d'avoir le courage de ses rêves, même si ça peut parfois donner le vertige.

À CHACUN SON EVEREST

Il est important que tu apprennes à te connaître. As-tu des rêves qui te ressemblent ? Par exemple, si tu rêves d'escalader l'Everest, mais que tu détestes le froid et les hauteurs, il se peut que ce rêve ne soit pas pour toi. Parfois, on se met à la poursuite d'un objectif qui nous est imposé par l'admiration qu'on porte à quelqu'un, plus que par ce qu'on a soi-même envie d'accomplir. Essaie de trouver ce qui te passionne et te poussera à te battre et à foncer. Apprends à te connaître, à savoir qui tu es vraiment et quelle est ta véritable passion en essayant toutes sortes de choses. Tu as beaucoup de temps devant toi, alors ne lâche pas et trouve ta voie !

UNE BONNE ESTIME DE TOI

Pour réussir, tu dois croire en toi et ne pas avoir peur qu'on te juge. Sache que même les plus grands de ce monde se sont fait dire « non ». Lorsque tu dois essuyer un refus, tu as le droit de vivre une déception, mais ça ne doit pas miner ta confiance en toi. Tu dois savoir que même la fille la plus belle et la plus talentueuse du monde a des doutes et des complexes ! Sers-toi de ces doutes pour te pousser à t'améliorer et à te dépasser.

VOIR LE CÔTÉ POSITIF

En attendant d'accomplir tes rêves, pourquoi ne pas te concentrer sur tes acquis ? Tu réussis déjà plein de choses, peut-être sans même t'en apercevoir. Dresser une liste de tes réussites peut te donner la confiance pour persévérer dans tes objectifs. Tu es en forme ? Note-le. Tu as eu un bon résultat scolaire ? Note-le. Tu vas toujours promener ton chien comme prévu ? Note-le. Tu remets tes travaux à temps ? Note-le. Tu as donné ton nom pour un projet alors que ça t'intimidait ? Note-le. Voilà toutes sortes d'accomplissements qui, si tu les apprécies, te mèneront vers de plus grandes réussites.

COMMENCER PAR LE COMMENCEMENT

L'école. Eh oui ! Pas facile de se lever tous les matins pour y aller ! Ce qui aide, c'est de trouver sa motivation. Essaie de trouver la raison qui te pousse à vouloir réussir tes études. Est-ce un métier que tu veux exercer plus tard ? Un prix que tu aimerais remporter ? Le sentiment de valorisation que t'apporte le fait d'avoir de bonnes notes ? Ou celui d'être cultivée ? Trouve ta motivation personnelle, et quand ton réveille-matin sonnera, tu te sentiras portée par une nouvelle aspiration : celle de t'accomplir.

PLANIFIE TES RÊVES

Pour réussir, peu importe dans quel domaine, il est bon d'avoir un plan. Dresse une liste de choses à faire pour parvenir à atteindre ton but, qu'il soit scolaire, social ou personnel. Une fois que tu as réalisé la tâche à effectuer, raye-la de la liste. Tu éprouveras un sentiment de satisfaction et tu pourras passer à une nouvelle étape. Pour réaliser ton rêve, tu devras passer par plusieurs étapes, même si certaines d'entre elles ne sont pas toujours intéressantes.

FAIRE FACE AUX OBSTACLES

Chaque nouveau projet amène son lot d'épreuves. Tu devras essuyer des refus, surmonter des obstacles. L'important n'est pas d'avoir une route sans embûches, mais de pouvoir surmonter celles-ci. Continue de foncer et laisse-toi guider par la vie. Parfois, on est certain qu'on a trouvé notre voie alors qu'elle se trouve ailleurs. Sois attentive. Il se peut que ton but te mène vers une autre route que tu n'avais même pas envisagée. Ce qui compte, c'est de ne pas te décourager en chemin.

TON ARME : LA PATIENCE

Arme-toi de patience. Nous vivons à l'ère de l'instantanéité et de la satisfaction immédiate de nos désirs. Il n'est pas nécessaire d'être si pressée d'arriver à ses fins. Explore ton talent et découvres-en toutes les facettes. Ne sois pas pressée d'en faire un métier, car plus un talent est développé, plus il s'épanouit, mûrit et embellit. Les grandes ambitions demandent du temps. Et surtout, beaucoup de travail. Souviens-toi que la route peut être tout aussi intéressante que la destination.

ÊTRE RESPONSABLE DE SES RÊVES

Ne compte pas sur le hasard pour réussir. Ceux qui gagnent à la loterie sont bien chanceux, mais ils sont rares. Ne compte que sur toi-même, sur tes talents et sur ta détermination. Il est important de ne pas trouver sans cesse des excuses pour expliquer pourquoi tu ne fais pas ce qu'il faut pour atteindre tes buts. Il ne sert à rien de tout remettre au lendemain. Il faut commencer dès aujourd'hui ! Et si tu n'obtiens pas de résultat, ne blâme pas les autres, essaie simplement une autre approche. Parfois, il faut se donner un coup de pied au derrière ! Tu verras que plus on fait de choses, moins on a envie de rester inactive.

VIVRE LE MOMENT PRÉSENT

Il se peut que ton bonheur à toi se trouve dans les petites choses simples du quotidien. Ne te mets pas la pression de te trouver un rêve, une ambition, alors que tu apprécies chaque minute de ta vie telle qu'elle est. Vivre le moment présent est aussi une grande réussite !

RÉUSSIR SES ÉCHECS

Tu as vécu un échec ? Mets-le derrière toi et repars à zéro ! Ça arrive à tout le monde, et ce n'est vraiment pas la fin de tes rêves. Tu dois te montrer forte et persévérer.

RÉUSSIR... SES RÊVES !

Tu réussis tout ce que tu entreprends ? Bravo ! Mais il faut savoir réussir sa réussite, tout d'abord en restant humble et en ayant toujours à l'esprit tout le travail qu'il a fallu accomplir pour parvenir à atteindre son but. Rendue au top, sois généreuse et partage tes trucs avec les autres. Tu n'es pas obligée de révéler tous tes secrets, mais tu peux guider les autres. N'oublie pas qu'il y a de la place pour tout le monde !

Jeudi 14 juin

Je suis beaucoup plus à l'aise devant une foule si je suis cachée derrière une marionnette, aussi laide puisse-t-elle être.

Nous venons de donner notre spectacle de marionnettes dans une garderie près de l'école et ç'a été un franc succès ! Les enfants criaient, riaient, voulaient parler à nos marionnettes. La mienne, que j'avais faite en quelques minutes (heures...), était vraiment affreuse avec sa robe rose et son tablier blanc (plus facile à couper dans la feutrine que quelque chose de plus stylisé), ses nattes rousses et ses yeux faits à l'aide de punaises. Elle a volé la vedette ! Ce sera difficile pour moi de m'en séparer. Diane tient absolument à ce qu'on vende nos marionnettes à l'encan, lors de la fête de fin d'année, qui aura lieu le dernier après-midi des examens. Elle remettra les fonds amassés à un organisme venant en aide aux enfants malades. Pour nous faciliter la tâche, nous avons décidé de faire un encan secret : la plus haute mise remporte le lot sans qu'il y ait de surenchères. Ce sera moins difficile, moins long et on pourra profiter du party sans avoir à gérer l'encan.

14 h 47

Diane nous a dit qu'elle était bien fière de nous. Elle nous a tout de suite donné nos notes et notre équipe a obtenu 92 %. Elle a aimé que nous improvisions avec les jeunes, mais elle nous a enlevé quelques points parce que nous avons décroché de notre histoire à de trop nombreuses reprises pour ajouter des petites blagues spontanées qui n'étaient pas destinées aux enfants, mais qui semblaient plus être des *insides* entre nous. (C'est vrai qu'avec les filles, on faisait des références aux jujubes et aux gars, hihi.)

14 h 48

Kat, Marielle, Laurie et moi retournons à l'école, encore toutes grisées par l'adrénaline que nous a procurée notre spectacle. On rit en se rappelant des moments marquants de notre prestation... quand je vois Nicolas près de ma case. Mon cœur tourne dans ma poitrine et je fige.

Je regarde autour, attendant qu'il passe son chemin avec son air bête habituel (et génétique, maintenant que je connais sa mère), mais il reste sur place, comme s'il m'attendait. J'avance d'un pas très peu assuré vers ma case pendant que les filles, qui n'ont rien remarqué, continuent de rire. Puis, Kat aperçoit à son tour Nicolas, et elle emmène les filles plus loin en me disant qu'elle me rejoindra plus tard. Je les entends murmurer et je me dis que Kat leur explique peut-être la situation ou qu'elle invente une raison bidon (espérons que ce soit l'option nº 2).

Il a l'air, disons, neutre. S'il pouvait sourire ou avoir l'air fâché, ça me donnerait un indice sur l'attitude à adopter.

Il sourit en coin (très mauvais indicateur de future conversation) et dit :

— Salut.

Moi : Aslo, lo, lu.

C'est inutile. Complètement inutile. Devant lui, je perds tous mes moyens et je ne sais pas pourquoi. J'adopte moi-même l'attitude bête.

— Faut que j'aille à ma case.

Lui : Oh, scuse.

Il se pousse.

Et là, la honte ! En ouvrant ma case, je remarque son horaire de cours, juste sous le mien, que j'avais accroché là pour éviter de le croiser. Le problème, c'est qu'il est écrit « Nicolas », entouré de plein de têtes de morts.

Je me déplace donc vivement afin de cacher l'horaire.

Ma position fait que je suis très proche de lui et que je peux sentir son haleine de gomme au melon ainsi que son odeur de bon assouplissant. J'ai l'impression qu'à l'intérieur de mon ventre je digère mal une fondue au fromage, alors que je n'ai pas mangé de fondue au fromage depuis des mois !

Lui : Ma mère voulait que je te demande si t'allais mieux.

Moi : Ah. Oui. Merci. J'avais juste... oublié de dîner.

Lui : Qu'est-ce que tu fais cet été ?

Moi : Je... déménage. Et je pars en camping, ç'a l'air. Toi ?

Lui : Je travaille à l'animalerie. Bon, ben, je suis content de voir que tu vas mieux. Je m'inquiétais.

Moi : Ah oui ?

Lui : Ben... oui, quand même. Au début, quand ma mère m'a dit qu'elle avait reçu une Amélie qui était tombée dans son bureau, j'ai tout de suite pensé à toi. Il y a juste toi pour... être de même.

Moi : De même... comment ?

Lui : Gaffeuse... j'sais pas.

Moi : Je suis pas gaffeuse, ça adonne comme ça ! Je suis... malchanceuse. Mon horoscope le dit, même !

Lui (peu convaincu) : Ouais.

Il sourit.

Lui : Bon, ben, bye.

Moi : Bye.

Je le regarde s'éloigner, puis je saisis son horaire et je le jette dans le fond de ma case.

Puis, je tente vainement de reprendre mon souffle. Je crois que je suis essoufflée parce que je tente de retenir ma respiration quand je suis en sa présence pour ne pas être trop déconcentrée par son odeur.

Note à moi-même: Penser à lui dire un jour de sentir moins bon. C'est fatigant à la longue! Et ce n'est pas *obligatoire* comme tel d'avoir une odeur parfaite pour venir à l'école. Aucun règlement ne le stipule. En tout cas, pas que je sache. Quoique je ne connais pas le règlement de l'école par cœur.

À l'agenda: Lire le règlement de l'école. Attentivement.

15 h 01

Kat: Qu'est-ce qu'il voulait?
Moi: Me demander si j'allais bien.
Kat: Ça t'a fait quelque chose?
Moi: Non, pantoute.
Kat: Hummmm...
Moi: Pantoute, je te dis, arghhh! Qu'est-ce que tu as dit aux filles?
Kat: Que tu lui avais prêté un CD.
Moi: Très bon.

Note à moi-même: Mon choix pour l'art dramatique est finalement excellent, car je vais peut-être apprendre à être une meilleure comédienne de manière bien précise, en améliorant ma diction de salutation ou en apprenant à mentir dans des moments clés, des trucs du genre. J'ai un instinct fort pour les choix de cours.

20 h 13

Ce soir, j'ai fait le lavage (c'est que je voulais absolument mettre ma super jupe Volcom pour le gala Méritas de demain et elle était top sale vu que je l'ai tachée au dîner l'autre jour, elle puait et était pleine de poils de chat). Ma mère était tellement contente de mon initiative qu'elle a décidé, pendant que je m'affairais dans la salle de lavage, de me faire un pudding au chocolat, mon gâteau préféré ! J'ai plié tous les vêtements (il manquait quelques bas, je ne comprends pas trop...) et, ensuite, je suis allée manger le pudding que ma mère avait cuisiné. (Il était trop bon ! Chaud, fraîchement sorti du four !) Et elle m'a dit qu'une théorie sur les bas manquants du lavage était que des fantômes s'emparaient des bas pour faire des blagues. Méchantes blagues !

22 h 46

Je ne sais pas si c'est le gâteau ou si ce sont les fantômes-voleurs-de-bas, mais je suis incapable de dormir.

Vendredi 15 juin

Ma mère, François et moi entrons dans l'allée K de l'auditorium de l'école et plusieurs personnes se lèvent, ou nous font de la place pour passer en collant leurs genoux à leur siège.

C'est la soirée Méritas, ce soir. Plusieurs prix seront remis aux élèves qui se sont démarqués par leur excellence scolaire, sportive ou par leur personnalité.

On trouve trois places libres et on s'assoit. J'aperçois Kat à quelques rangées de nous avec sa famille et, beaucoup plus loin, Tommy avec la sienne (bien que je lui fasse de grands signes, il ne me voit pas). Je regarde Nicolas (il est de dos, car il est dans la rangée G, un peu plus près de la scène que moi) et je remarque, à mon grand désespoir, qu'il est accompagné de sa mère.

Dieu, si vous existez, faites simplement que je ne les croise pas en sortant d'ici. Merci. Je ferai un sacrifice de votre choix, du genre ne pas manger de chocolat pendant trois jours. Deux (parce qu'honnêtement, ce n'est pas la réalisation de ce vœu qui vous demandera un grand travail).

Je me fais un plan de sortie. Lorsque le gala sera terminé, il y aura sûrement une ovation ; je vais donc me faufiler dans la rangée, prétextant que j'ai une envie urgente, et je me cacherai aux toilettes jusqu'à ce que tout le monde soit sorti de l'école. Ex-cel-lent plan ! Hourra ! Woupi-tiwoup ! (Exagération totale d'onomatopée sûrement causée par l'adrénaline ambiante que je capte dans la salle.)

J'observe les gens. Tout le monde est bien habillé. J'ai pu mettre ma super jupe, super propre. J'ai aussi mis des souliers cool et une chemise à manches courtes cintrée qui ressemble un peu à un t-shirt si on me voit de loin, mais c'est réellement une chemise. J'ai aplati mes cheveux avec mon fer plat (même si je ne frise pas, c'était juste pour avoir les cheveux moins gonflés, j'ai dû l'expliquer à François Blais qui ne comprenait pas pourquoi j'utilisais cet instrument de coiffure pendant au moins deux heures, OK vingt minutes, OK cinq, mais ça nous a retardés quand même).

Merde! Parlant de fer plat, l'ai-je débranché? Oh non!!! Et si la maison brûlait??? Je ne pourrais réaliser mon plan secret de la racheter quand je serai riche.

Moi (vers ma mère): Te souviens-tu si j'ai débranché le fer?

Ma mère: Pas remarqué. Tu as oublié?

Moi: Je... non... je ne suis pas sûre.

Ma mère soupire et me fait signe d'écouter le spectacle en m'assurant qu'un incendie ne se déclare pas parce qu'un fer est branché pendant deux heures.

Moi: Mais oui!!! Un court-circuit! J'ai appris comment arrive un court-circuit en sciences physiques et... oh mon Dieu! Si les pompiers ne trouvent pas Sybil et qu'elle périt dans les flammes! Je m'en voudrai à mort toute ma vie. Ça se peut que je devienne carrément folle après cette épreuve!

Ma mère: Mais où est-ce que tu prends ce côté de tragédienne? Écoute, on est venus pour toi, là. On s'occupera du fer une fois à la maison. Je suis certaine que tu l'as débranché.

Moi: Mais vas-tu venir me visiter à l'asile?

Ma mère soupire et fait semblant que je n'existe plus. Elle fait souvent ça quand j'ai le dernier mot. (Cette fois-ci, grâce à ma folie imminente causée par ma pyromanie.)

Je suis une pyromane! Oh mon Dieu!!!

20 h 02

Plusieurs prix sont remis. Les profs soulignent l'excellence de certains élèves. Il n'y a aucune surprise jusqu'à maintenant. On sait tous qu'Alexis Gaudet est le meilleur de quatrième secondaire en sciences, on sait tous que Laurie Morin-Pagé est la championne des mathématiques (et comme elle est notre nouvelle amie, Kat et moi nous retournons l'une vers l'autre et applaudissons chaleureusement).

Peu à peu, les images de ma maison en proie aux flammes et de Sybil qui saute par la fenêtre se dissipent et je peux vraiment profiter de la soirée. J'explique quelques blagues (que seuls les élèves comprennent parce que ce sont des *insides* au sujet d'événements qui sont arrivés pendant l'année) à l'oreille de ma mère qui tente à son tour de les expliquer à François Blais (mais elle répète tout ce que je dis de travers et je dois réexpliquer à François, ce qui me fait rater, à moi, plein d'autres blagues).

Jean-Félix a gagné le prix du look qui se démarque le plus. J'étais super contente ! Ils l'ont appelé le prix « Dandy de l'année ». Kat et moi nous sommes lancé un regard, hyper fières de notre ami.

Le prix du prof de l'année a été remis à Maude, la prof de maths. J'ai vraiment applaudi chaudement.

Le prix de la prof la plus rigoureuse a été remis à Sonia (j'ai vraiment ri quand ils ont dit à la blague qu'elle rêvait même la nuit aux adverbes).

Iohann a gagné le prix de l'athlète de l'année.

Ils lui ont demandé de rester sur scène et, par la suite, lui et Frédérique ont gagné le prix du plus beau retour en force de l'année. (C'est Nadège qui présentait cette catégorie, donc pas de surprise.)

Ma mère m'a regardée et je lui ai chuchoté de ne pas s'en faire, que ça ne me faisait rien.

Je me suis tournée vers Kat qui me regardait et je lui ai mimé avec mes lèvres que ça ne me faisait rien.

Puis, j'ai vu Nicolas se tourner dans la salle. Il semblait chercher quelque chose. Moi? Je me suis enfoncée dans mon siège et cachée en me confondant avec la position de la silhouette du spectateur devant moi.

Denis, le prof d'éducation physique, s'est avancé pour présenter un prix pendant que Iohann et Frédérique quittaient la scène main dans la main.

« Blablablablablablabla… Cette année, j'aimerais remettre un prix spécial à quelqu'un qui s'est présenté à nous comme une tigresse, mais qui s'est avéré un tout doux petit minou. »

Ouf! Pauvre personne qui va gagner ce prix. Je ne voudrais pas être la personne qui va devoir porter ce surnom de tout doux petit minou. *Oh boy!*

Denis (qui continue) : Elle m'a appris qu'on pouvait changer le plan de cours pour se « mettre à jour » et intéresser les gens qui n'aiment pas le sport à découvrir d'autres façons de bouger.

Oh non. C'est moi. J'ai honte.

Dieu, si vous existez, alerte, alerte. Je change mon vœu ! Je peux croiser Nicolas et sa mère si vous voulez. Faites simplement que d'autres personnes que moi aient critiqué son programme. S'il vous plaît, s'il vous plaît. Je ferai le sacrifice d'une vie sans chocolat. Merci.

Denis (qui continue) : Suivant ses conseils, j'ajouterai à mon programme le jeu *Dance Dance Revolution*. J'ai travaillé fort et je vous annonce en primeur que j'ai pu obtenir le budget pour acheter tout l'équipement necéssaire l'an prochain.

Tout le monde crie de joie, surtout des filles.

Je me sens tout à coup très fière, voyant que tout le monde crie. Sûrement que cette idée (qui semble géniale aux yeux de tous) fera oublier la quétainerie de « petit minou ». Fiou. Mon honneur est sauf.

Denis (qui continue) : Je remets donc le prix de l'initiative et de la créativité à Aurélie Laflamme. Félicitations !

Ma mère crie de toutes ses forces, si bien que des gens se retournent, ce qui me gêne un peu.

Je traverse l'allée et quelques personnes se lèvent ou plient leurs jambes de façon à me laisser passer. Sur mon passage, certains me félicitent.

Je monte sur scène pour aller chercher mon trophée. En m'y rendant, j'ai un blanc. Est-ce que les autres élèves faisaient des remerciements, comme dans les galas télévisés ? J'ai beau y réfléchir, je n'en ai aucun souvenir. Dois-je m'avancer au micro pour remercier ? Si oui, qui ? C'est moi qui ai donné les idées. Je ne vais quand même pas remercier ma mère de m'avoir conçue avec une tête de cochon. Iohann. Iohann a-t-il remercié quelqu'un lorsqu'il a gagné son prix ? Il me semble que non. Je suis sur scène et je suis figée.

Je m'avance donc pour recevoir mon prix. Denis me le remet en m'embrassant sur les joues. Je ne bouge pas. Puis, je décide qu'aucun discours n'est requis. Il me semble que si les autres en avaient fait un, je m'en souviendrais. Oui, voilà.

Je tourne donc les talons pour m'en aller quand j'entends les gens rire.

Aurais-je dû parler ? Rient-ils de mon absence de discours ? Du « tout doux petit minou ? » Je me tourne vers la salle, mais l'éclairage est si fort que je ne distingue pas les visages des spectateurs. Mais les gens rient de plus belle.

Je me retourne et je vois Denis qui tient un bas rose avec des étoiles bleues qui ressemble étrangement à un de mes bas (mais pas un de ceux que j'ai aux pieds en ce moment). MAIS QU'EST-CE QU'IL FAIT AVEC UN DE MES BAS DANS SES MAINS ? ? ?

Denis (qui s'avance vers moi sans son micro) : Tu as laissé tomber ça. Maudite statique, hein ?

ET IL ME DONNE MON BAS ! ! ! ! DEVANT TOUT LE MONDE ! ! ! ! ! ! ! !

Ne sachant pas quoi faire, je fais non de la tête, mais, puisqu'il insiste, JE LE PRENDS ! ! ! ! ! ! ! ! ! ! ! ! ! ! ! !

Les rires résonnent en sourdine dans mes oreilles. Je suis morte de honte. Tétanisée.

22 h 11

Grâce (grrr) à (grrrr) moi (grrrr), un (grrrr) mystère (grrrr) est (grrrr) maintenant (grrrr) résolu (grrrrr).

Je sais maintenant qu'il n'y a aucun fantôme du lavage. Seulement de la statique, et que les vêtements peuvent coller ensemble.

Ma mère, qui riait aux larmes lorsque j'ai regagné mon siège (totale traître), m'a dit qu'il aurait fallu que je mette de l'assouplissant dans la sécheuse. Il me semble que j'en avais mis, mais c'est flou et je n'ai aucune confiance en ma mémoire.

Mon bas est tombé de ma jupe. Sur scène. Pendant que j'acceptais mon prix (sans discours). Devant. Tout. Le. Monde. Ohhhh.

P.-S. : Mon fer était débranché et rangé. Ma maison n'a pas brûlé. Hourra. (Cette joie devrait atténuer mon « humiliation de bas », mais… non.)

Samedi 16 juin

Ma vie est sur pause pour cause d'études, en vue du succès de ma quatrième secondaire.

Mais je dois avouer que j'ai ÉNORMÉ-MENT de difficulté à me concentrer, car je n'arrête pas d'avoir des *flashbacks* de ce qui est arrivé à la soirée Méritas. Pourquoi fallait-il que je sois humiliée devant tout le monde ?

Après la soirée Méritas, nous sommes partis et je n'ai croisé personne. Ma mère et François ne pouvaient s'empêcher de rire dans l'auto, ce qui m'a énormément fâchée.

Et Kat et Tommy m'ont appelée, chacun leur tour, pour rire et me demander ce qui s'était passé.

Pas besoin de dire que, pour la première fois de ma vie, j'aurais vraiment préféré que ce soient des fantômes qui volent les bas. VRAIMENT.

Donc, je lis une ligne d'histoire et pouf! je vois Denis qui tient mon bas rose dans les airs. Je fais un problème d'algèbre et pouf! je me vois prendre le bas dans ma main droite (ma main gauche tenait mon trophée). Je révise une règle de grammaire et pouf! je vois des visages rire de moi dans la salle.

Heureusement, ça s'est passé un vendredi soir et, la semaine prochaine, c'est la semaine d'examens. Avec un peu de chance, tout ça sera vite oublié.

La semaine d'examens! Déjà! Tout a passé si vite! Il me semble que c'était hier que j'entrais dans cette école pour la première fois, désespérée d'avoir à changer d'école, à changer de style d'école même, puisque, avant, j'allais dans une école pour filles, avec uniforme.

J'ai peut-être un défaut, celui d'être réfractaire au changement. Hum...

Peut-être que, dans le fond, je vais aimer ma future maison comme j'aime ma nouvelle école.

Naaaa! Impossible! Pas la même chose.

Bon, il faut que je pense à mon bas. Je veux dire, que j'étudie. Arggghhhh ! Je n'y arriverai jamais ! Je ne passerai pas la quatrième secondaire ! Et je ne finirai jamais mon secondaire ! Je vais passer ma vie dans un établissement où je suis sujette aux pires humiliations de ma vie !!!!!

13 h 01

Bon... Peut-être que je dramatise. Un peu d'optimisme n'a jamais tué personne...

Vendredi 22 juin

L'école est finie !!!!!!!!!!!!!!!!!!!!! Yé !!!!!!! Hourra !!!!!!!! Witipiwoupi-douwouahhhhhhh !!!!!!!!!!!!

Semaine d'examens hyper éprouvante !

Nous pouvons retourner chez nous ou profiter du party hot-dogs qui se déroule dehors.

Kat, JF, Tommy et moi avons décidé de rester. Il fait super beau et, de la bouffe gratuite, c'est toujours apprécié !

Les profs ont installé sur des tables les plus belles œuvres du cours d'arts plastiques (de tous les niveaux), les marionnettes, les projets scientifiques. Il y a des jeux, des gens qui jouent au basket ou juste assis par terre, qui mangent leur hot-dog en parlant de leur dernier examen ou de ce qu'ils vont faire cet été.

12 h 12

Kat et moi nous promenons à travers tous les kiosques. Nous croisons Laurie qui tient la main d'Alexis. On lui lance un regard moqueur.

Kat : Moi, mon vœu n'a pas trop marché. Je ne voulais pas que ça finisse avec JF...

Moi : Dans un sens, il s'est réalisé. Ça ne finira jamais parce que vous serez toujours de grands amis.

Kat : Oui, c'est vrai. Mais toi, ton vœu ?

Moi : Je ne pense pas que je vais sortir avec Robert Pattinson de sitôt.

On rit.

Kat me pointe Nicolas de dos, au loin, et nous changeons de trajectoire.

12 h 15

Nous souhaitons bon été au plus de gens possible en disant (et nous sommes sincères) : « On va tellement s'ennuyer ! ! ! ! ! ! ! » ou encore : « On s'appelle ! » Mais c'est clair qu'on ne s'appellera pas. Pas par malice ou par mauvaise volonté. Mais parce que c'est comme ça. On a vraiment l'intention de garder contact avec certaines personnes pendant l'été, mais le temps passe et on oublie ou on manque de temps. (C'est tellement prenant, les vacances !)

12 h 25

Je suis allée miser sur ma marionnette pour l'encan secret et, après avoir mangé un hot-dog (trois, en fait), je suis rentrée dans l'école pour faire le ménage de ma case.

12 h 26

J'en accumule, des choses, ce n'est pas croyable! Toutes les lettres que Kat et moi nous envoyons. Ouach: un cœur de pomme vraiment pourri! Des sous noirs. Oh! Mon t-shirt blanc avec une fleur! Je l'ai TELLEMENT cherché!!! Et ce gant, cet hiver! J'avais cru me l'être fait voler... J'ai même accusé Tommy de l'avoir caché. (Ça se pourrait très bien qu'il l'ait jeté dans ma case comme ça, il critique toujours mon bordel, mais il n'est pas vraiment mieux. Oui... un peu.)

L'horaire de Nicolas... que j'ai jeté là la semaine dernière. Je l'observe en me demandant si je devrais le mettre dans la pile de papiers à jeter ou dans la pile à garder en souvenir.

12 h 28

Dans la pile à jeter. J'accumule trop de choses. Je l'ai bien remarqué en faisant mes boîtes. Je conserve vraiment des inutilités. Comme une roche que j'avais trouvée et avec laquelle je pensais faire un moteur de voiture du futur. (J'avais sept ans et la mécanique n'a jamais été mon fort, quoi qu'en disent les tests d'orientation professionnelle qui me prédisent un brillant avenir en mécanique aérospatiale.)

Je regarde l'horaire un instant avant de le mettre dans la pile à jeter. Je voudrais le déchirer en mille morceaux. Mais je l'observe malgré moi. Je ris un peu de moi-même d'avoir dessiné toutes ces têtes de morts autour de son nom écrit en rouge (quand je l'aimais encore) et auquel j'ai ajouté plein d'éclairs (quand j'ai décidé que je ne voulais plus rien savoir de lui).

À l'approche de mon seizième anniversaire, je me sens un peu plus mature, je ne referais certainement plus ce genre de chose.

Puis, j'entends derrière moi :

– Ouais, le lundi, sciences physiques.

Je me retourne vivement. C'est Nicolas qui regarde par-dessus mon épaule. Je rougis (de la tête aux pieds, j'en suis sûre). Je suis pétrifiée. Mon corps est raide comme une barre. Je ne peux plus tourner ma tête, ni à droite ni à gauche.

Lui (offusqué, sûrement, on le serait à moins, mais je n'arrive pas à percevoir l'émotion qui se dégage) : Salut.

C'est quoi, mes oreilles ne sont plus capables de fonctionner normalement ? Pourquoi ne l'ai-je pas entendu arriver ? Je n'entends plus les gens marcher derrière moi ? Et son odeur ? Je ne l'ai pas sentie ? Habituellement, je peux sentir son odeur à des kilomètres ! OK, mètres. Bon, centimètres. Mais quand même ! Je me sentais peut-être encore imprégnée de sa présence, je n'ai pas su distinguer son odeur réelle du souvenir de son odeur ?

C'est vrai que je suis si malchanceuse ! L'horoscope avait raison ! C'est épouvantable !

Nicolas (qui me prend l'horaire des mains, difficilement, car je le tiens serré) : Tu devais m'haïr pour dessiner tout ça...

Moi : Ben là, haïr, c'est un grand mot. Conceptuel. On ne hait pas des gens à proprement parler. Bon, peut-être les gens qui prennent part à certains conflits, style guerre... Mais en même temps, est-ce vraiment de la haine, ou davantage un « désir de conquérir un territoire » ?

175

Vraiment, je pense que c'est un sentiment assez rare chez les gens. La haine... Pas que je sois experte en sentiments humains ressentis par *tous* les humains, mais quand même, je peux dire que ça ne doit pas être fréquent.

Mais qu'est-ce que je dis là, moi ? Il faut que j'arrête de parler immédiatement.

Nicolas me regarde sans rien dire. Meubler le silence. Je dois meubler le silence.

Moi : Ben... bon été, en tout cas.

Nicolas : On se revoit en septembre. Si tu veux, je te donnerai mon horaire l'an prochain pour que tu puisses encore m'éviter.

Moi (en haussant les épaules, dans une tentative d'explication) : Ben... t'étais bête et...

Nicolas : Ouain.

Je le regarde. Il a une casquette, un *skateboard*, des bermudas trop cool (Volcom ? O'Neil ? Je n'arrive pas à voir...), des souliers de *skate* dans lesquels il doit avoir trop chaud et un t-shirt jaune qui ne s'harmonise pas du tout à la couleur de ses cheveux. Il est déjà un peu bronzé et plein de cheveux qui ont doré au soleil sortent de sous sa casquette. Si seulement il savait que lorsqu'il est près de moi, je ne sais plus comment contrôler mon corps ni mes pensées. Que je n'aurais envie que de le serrer dans mes bras et de l'embrasser pour goûter sa gomme au melon. Il n'en mâche pas en ce moment. Mais je sais ce que ça goûte. Je ne sais pas ce qui s'est passé quand il m'a embrassée cet hiver. J'étais avec Iohann, ça m'a mêlée, il s'est fâché. Avec Iohann, j'ai voulu passer à autre chose. Après tout, Nicolas m'a laissée. Il s'est sûrement passé trop de choses pour qu'on

puisse revenir ensemble éventuellement. Trop.
C'est impossible que nous retrouvions ce que
nous avions au début. Il me semble que chaque
fois que je le voyais avant, ça me faisait du bien.
Et maintenant, ça me fait mal. Mais malgré
tout, j'aurais le désir que ça me fasse encore du
bien dans mon cœur. Parce qu'il est le seul à
m'avoir fait sentir bien comme ça. Peut-être
que je devrais le lui dire? Peut-être qu'il ne le
sait pas. Je ne lui ai jamais vraiment dit ce
que je pensais. On dirait qu'on a jeté un sort
à ma fonction «langage» lorsque je suis en sa
présence.

Diane, la prof d'art dram, arrive près de
nous, essoufflée, et m'annonce que ma marionnette a battu des records à l'encan (j'avais
misé cinq dollars, c'est sûrement moi qui l'ai
gagnée!).

– Elle a été vendue quinze dollars.

Moi: Hein??!!! À qui?

Qui aurait pu mettre quinze dollars sur une
marionnette aussi laide???

Diane: Un acheteur anonyme.

Moi: Mais comment tu vas faire pour la lui
donner?

Diane: Oh, moi, je sais qui c'est. Il ne veut
juste pas que je le dise.

Moi: Il?...

Diane: L'acheteur...

Nicolas: Ben... bon été, toi aussi, Aurélie.

Et il s'éloigne pendant que Diane me félicite
et me remercie et me parle de son bonheur de
me revoir dans ses cours l'an prochain. Elle
m'informe également que nous serons peu
d'élèves en art dramatique puisque peu de gens

ont choisi cette option. Et blablabla pendant que je pense encore à Nicolas et que je le regarde s'éloigner.

Samedi 23 juin

Kat, Tommy, JF et moi sommes au chalet des parents de JF pour fêter la Saint-Jean-Baptiste. Nous sommes tous assis près du feu et nous portons un toast à l'année scolaire qui vient de se terminer.

Un toast à Kat pour avoir passé à travers les cours d'éducation au choix de carrière qu'elle détestait (parce que, selon elle, le prof l'avait prise en grippe).

Un toast à Tommy pour avoir supporté les cours de français de monsieur Gingras (il n'avait pas la chance d'avoir Sonia comme nous).

Un toast à JF pour avoir le courage de s'assumer tel qu'il est.

Un toast à moi pour avoir survécu à mon bas qui tombe de ma jupe (j'ai levé les yeux au ciel en même temps que mon verre).

21 h 32

Tommy joue de la guitare et nous chantons. Surtout des chansons des Trois Accords, de Malajube, de Dumas...

22 h 02

Kat et JF se sont éloignés pour aller parler seule à seul plus loin sur le terrain. Ils sont couchés par terre, Kat est appuyée sur le bras de JF et il lui caresse les cheveux. Je ne sais pas ce qu'ils se disent, mais ils sont beaux. Kat part dans quelques jours à son camp et JF s'en va en Allemagne avec sa famille. Ils doivent se dire qu'ils vont s'ennuyer et s'écrire (mais dans leur cas, ils le feront pour vrai).

22 h 03

Tommy : Hé, vous deux ! Vive le Québec !
Kat et JF se retournent et crient :
– Wouhou, Québec !
Et ils rient en continuant leur conversation.

22 h 15

Tommy, en jouant des accords de guitare sans mélodie précise, m'a demandé comment je me sentais par rapport à mon déménagement. Je lui ai répondu que j'avais essayé de mettre ça de côté pour me concentrer sur les examens.

Tommy : T'as fini tes boîtes ?
Moi : Presque. Je pensais faire ça après les examens. Donc, en revenant du chalet, peut-être.

Tommy : T'es stressée ?
Moi : Un peu... J'essaie de ne pas trop y penser. Coudonc, t'essaies de me faire sentir mal ou quoi ?

Tommy : Je te lâcherai pas, Laf.
Moi : Tu seras plus mon voisin...
Tommy : Je vais continuer à être ton ami.

Moi : Tu vas peut-être m'oublier en allant chez ta mère. Et peut-être plus revenir.

Tommy : Franchement ! *Drama queen !* Je me suis organisé avec ma mère pour y aller un peu plus tard pour t'aider avec le déménagement. Je te l'avais dit !

Je lui saute au cou et on entend les cordes de guitare se frotter, ce qui produit des fausses notes.

Tommy : Hé ! Attention, Laf ! Ça coûte cher, cette guitare-là !

22 h 17

Il s'étend par terre en continuant de jouer quelques doux accords et je me couche la tête dans le creux de son bras en mettant le manche de guitare sur mon ventre pour ne pas l'empêcher de jouer. On regarde les étoiles. Et plusieurs choses se mélangent dans ma tête pendant que je regarde le ciel. Une immense nostalgie s'empare de moi. Nicolas. Mon père. Ma maison. Tommy qui ne sera plus mon voisin, qui ne sera plus juste à côté quand j'ai besoin d'aller me coller à quelqu'un. J'ai le goût de pleurer, mais je me retiens. C'est la veille de la Saint-Jean. Soir de fête. Mes petits tourments n'ont pas leur place. Je dis simplement :

– C'est beau. On voit toutes les étoiles.

Et Tommy dit :

– Je fais une petite entorse à la règle de la Saint-Jean.

Et il se met à jouer *Fix You*, de Coldplay. Le manche de la guitare frotte mon ventre et ça chatouille un peu. Tommy chante doucement. Je crois que JF et Kat se sont endormis, mais après les premiers accords, Tommy s'arrête, peut-être pour ne pas les réveiller, mais on entend Kat, avec une petite voix endormie, dire :

– Continue...

Tommy chante doucement tout en regardant le ciel lui aussi. Et Kat, JF et moi l'accompagnons au refrain :

Lights will guide you home

And gnagna (je n'ai jamais compris le mot ici, alors je dis toujours «gnagna», mais j'imagine évidemment que ce n'est pas ça parce que pas très poétique) *your bones*

And I will try to fix you...

Juillet

Fondre dans le décor

Dimanche 1er juillet

Quand je suis en voiture, j'essaie toujours de former des mots avec les lettres des plaques d'immatriculation. Quand je remarque des mots déjà tout faits (comme NEZ, KIT, DAH, BAM, NIP, JOB), ou des abréviations comme BFF (« *best friend forever* »), LOL (« lot of laugh »), ou VTT (« véhicule tout terrain »), je suis super contente ! Et quand il manque une lettre pour former un mot, je m'amuse à compléter. Ainsi, PBM devient « problème » et SLC devient « silence », etc. (Ben quoi ? On se trouve les activités qu'on peut, ce n'est pas ma faute, moi, si j'ai un cerveau hyperactif !)

Note à moi-même : Y penser pour ma prochaine demande d'emploi à la section « aptitudes particulières ».

Bref, je suis dans la voiture de François Blais. J'ai à peine de la place pour mes jambes dans ce fouillis de boîtes d'objets fragiles et de vêtements placés là à la dernière minute. Sybil est dans une cage, sur mes genoux, et elle miaule comme si on lui arrachait la peau. Je la regarde et je dis « chut » toutes les trois secondes. Elle n'est pas comme ça habituellement, car je peux la traîner partout. Elle doit sentir qu'on quitte notre maison. (Est-ce possible?)

Nous suivons une voiture dont les lettres de la plaque d'immatriculation (POM) font « pomme », ce qui n'a aucun rapport métaphorique avec ma vie. Oui, parce que, bizarrement, je regardais les plaques et je me disais que peut-être la vie aurait envie de m'envoyer un « message » en cette journée particulièrement éprouvante. Du genre, si c'est une bonne chose que je déménage, je vais suivre une voiture et les lettres sur sa plaque seront DEM (pour « déménage ») ou MOV (pour « move » ou « moving », je suis tellement bilingue!). Ou encore, si le bonheur m'attend sur ma nouvelle rue, je tomberai carrément sur une plaque disant RUE ou BNR (pour « bonheur »). Mais non, « pomme », ça n'a pas grand rapport dans ma vie. Nous n'avons pas de verger. À moins que...

Moi : Maman? Est-ce qu'il y a un pommier sur notre nouveau terrain?

Ma mère : Non. Pas à ma connaissance.

François : Il n'y a pas un petit arbre dans le coin?

Ma mère : Ce n'est pas un rosier? C'est un rosier, je pense.

François : Ma mémoire me joue des tours. C'est peut-être parce qu'elle a parlé de pommier. Ce serait *cute*, par contre. Tu veux qu'on en plante un, Au?

François m'appelle Au, maintenant, comme Kat. Je pense qu'il se croit cool. Moi, ça me donne des frissons d'effroi. Brrrr.

Moi : Non, non, c'est correct.

Ma mère : Oui, ça fait des belles petites fleurs, les pommiers. On en plante un ! Comme pour marquer notre arrivée et le regarder pousser pendant qu'on est là ! Et ce sera un souvenir symbolique pour notre famille d'avoir planté un arbre ! Oh ouiiii !!!

François : Bonne idée !

Moi : Ben là, je disais ça de même.

François : OK, demi-tour, on s'en va s'acheter un pommier symbolique !

Je lève les yeux au ciel.

François dépasse la plaque POM et on suit maintenant une plaque avec les lettres FLM qui peuvent former « film » ou « flamme » ou « flamant ». Encore aucun rapport avec ma vie (sauf peut-être « flamme » qui est une partie de mon nom de famille).

J'aimerais trouver une autre plaque.

Moi : François, l'auto en avant de nous m'énerve, peux-tu la dépasser et aller derrière l'autre en avant, la rouge, s'il te plaît ?

François : Tu es une vraie enragée du volant ! Hé ! J'y pense, tu vas avoir seize ans, il va falloir que tu prennes des cours de conduite bientôt.

Il effectue un dépassement et se place derrière la voiture rouge dont la plaque est JQT. « Jaquette » ? Ce serait un message pour me faire penser à ma dernière nuit dans ma maison. Quoique je ne porte pas de jaquette.

Ma dernière nuit dans ma maison... c'était hier soir. J'ai fermé ma dernière boîte à 21 h 52 exactement. Tommy est venu m'aider. On écoutait de la vieille musique punk (son idée) pour que je « ne plonge pas dans l'émotivité » (ses mots). Parce que ça l'a énervé solide lorsque j'ai eu les larmes aux yeux en regardant le trou de ma garde-robe et en lui rappelant qu'il était venu m'aider à le réparer, mais qu'il avait mal fait son travail et que je ne reverrais plus jamais ce trou et nanana.

Il m'a trouvée un peu nouille de penser que je m'ennuierais d'un trou de garde-robe. C'est là qu'il a eu l'idée de la musique punk agressive.

Je n'ai pas vraiment dormi par la suite. Je regardais mes étoiles au plafond. Je regardais chaque morceau de ma chambre. Je sais à quel point on peut oublier. Je sais que les détails deviennent flous. Je sais qu'on croit se souvenir de quelque chose, mais que notre cerveau replace ça à sa manière, qui n'est pas tout à fait conforme à la réalité de ce que c'était vraiment, dans le passé. Même si on a une mémoire photographique, quand on revoit un endroit dont on croyait se rappeler les moindres détails, on découvre que c'est finalement plus petit ou plus grand, que telle chose n'était pas tout à fait comme ça ou qu'on avait oublié telle autre.

C'est ce qui m'est arrivé avec mon père. Je ne me souviens plus exactement de chaque détail. De son odeur exacte. De sa voix. De sa façon de marcher, de bouger. L'autre jour, ma mère m'a dit qu'il avait du poil dans les oreilles et, dans mon souvenir, il n'en avait pas. (C'était peut-être un seul poil, peut-être que dans son souvenir, elle en a ajouté… Comment se fier à la mémoire de ma mère???)

C'est ce qui m'arrivera avec ma maison. Je vais oublier. Et certains souvenirs que j'avais parfois, des *flashbacks* qui me venaient juste parce que j'étais dans la maison, ne me viendront peut-être plus en tête. Déménager va me faire oublier encore plus mon père.

Ce matin, Tommy est venu m'aider à transporter les boîtes. C'était vraiment gentil de sa part, car il a fallu qu'on se lève aux aurores (7 h), puisque les déménageurs arrivaient à 8 h. Ma mère l'a trouvé « teeeeeellement gentil » (ses mots). Elle nous a fait des choco-latines pour déjeuner et nous avons commencé à placer les boîtes pour que tout soit prêt pour les déménageurs.

Ils sont arrivés à 8 h 23 très précisément. Il faisait déjà chaud. Avec un gros soleil. Pas beaucoup de nuages. Ils parlaient fort (pas les nuages, les déménageurs). Se demandaient s'ils allaient prendre le diable (apparemment, un truc pour transporter plus facilement des boîtes, mais sur le coup je suis restée surprise, car j'ai pensé un instant qu'ils parlaient de François), s'engueulaient sur la façon de transporter le réfrigérateur, se félicitaient de soulever trois boîtes à la fois, reprochaient à ma mère d'avoir fait des boîtes de livres trop lourdes et lui propo-saient, dans ses prochaines boîtes, de mélanger des livres avec des trucs plus légers, etc.

Puis, tout a été vide. En pas très longtemps. Comme si rien n'avait été précieux.

J'ai regardé partir ce gros camion, avec toutes nos affaires. Et puis, j'ai eu l'impression que ma maison, vide, n'était plus vraiment ma maison.

Ensuite, nous sommes montés dans la voiture de François. Lui et ma mère ont ri du peu de place que j'avais sur la banquette arrière chargée. Je serrais très fort la cage contenant Sybil. Ma mère a tenté d'avancer son siège le plus possible et n'arrêtait pas de demander : « Ça va, ma belle ? As-tu assez de place ? »

J'ai du mal à respirer.

Je me suis juré, en partant, de ne pas regarder derrière. De ne pas regarder Tommy resté là-bas, sur mon terrain. De ne pas regarder ma maison s'éloigner pendant qu'on s'en va. Alors, je me suis concentrée sur les plaques d'immatriculation. À la recherche d'un message.

Note à moi-même : Chercher des messages de la vie dans les plaques d'immatriculation est un exercice stérile, une perte de temps complètement inutile et ne vous mènera que chez un horticulteur. À éviter absolument.

11 h 56

On entre dans le stationnement d'une mégaquincaillerie où se trouve un horticulteur. Et nous marchons dans les allées à la recherche d'un commis qui nous dirigera vers un pommier que nous pourrons planter sur le terrain de notre nouvelle maison. (Je dis « nous », pour la forme, mais je ne me sens pas du tout impliquée dans cette aventure, même si c'était apparemment mon idée.)

Ma mère et François posent des questions sur la plantation, le bon endroit, soleil ou pas soleil, et blablabla. François pointe un arbuste.

L'horticulteur en pointe un autre en disant :

– Vous êtes mieux de replanter un arbuste encore jeune, car il pourra s'enraciner plus facilement, en profondeur.

François (en prenant l'arbuste pointé) : Merci. Je vais prendre celui-là, alors.

Horticulteur : Je vous conseille de tailler l'extrémité des grosses racines, pour activer la reprise racinaire, puis trempez-les dans un seau contenant de l'eau et du pralin. (Il lui tend un sac de ce produit.) Ça stimulera la... (J'ai arrêté d'écouter exactement là, réalisant que mon intérêt pour l'horticulture était vraiment faible.)

12 h 32

Ma mère voulait dîner au restaurant de sous-marins où j'ai travaillé, mais je l'ai suppliée d'aller ailleurs, ce qu'on a fait. Elle ne comprenait pas pourquoi j'étais gênée d'y retourner, mais elle a finalement respecté ma demande lorsque je l'ai menacée de poursuite pour perte de jouissance de la vie et préjudice psychologique (ce qu'elle a trouvé total exagéré, mais je me comprends).

13 h 17

Nous sommes arrivés dans l'allée devant notre nouvelle maison. François a stationné la voiture à quelques centimètres du garage. Il y avait ce petit voile de fumée qui se dégage de l'asphalte lorsqu'il fait trop chaud et que tout semble flou quand on regarde au travers.

Les déménageurs étaient déjà là et entraient les boîtes et les meubles. J'ai laissé Sybil dans sa cage pour ne pas qu'elle se sauve, avec tout ce va-et-vient.

Ma mère a donné quelques directives aux déménageurs. Et j'ai regretté que Tommy ne soit pas là. J'aurais aimé qu'il soit là, je pense, pour m'aider à défaire mes boîtes. Je me sens un peu étourdie. C'est peut-être la chaleur. Ou le hamburger au poulet que je viens de manger.

15 h 01

Nous avons attendu que les déménageurs soient partis pour aller planter le pommier (oh là là!). Ma mère a tenu à ce qu'on entoure le pommier en se tenant les mains et qu'on se souhaite du bonheur dans notre nouvelle maison. (Tellement quétaine, elle se pense dans la *Mélodie du bonheur* ou je ne sais pas quoi, au secours!)

16 h 24

Ma chambre est blanche, mauve (violet du cosmos) et rose. Ça sent un peu la peinture fraîche. Assez beau. Oui, c'est beau.

Ma mère et François tenaient à ce qu'on fasse tout peindre avant notre arrivée. Pour qu'on puisse profiter de l'été. Assez cool de leur part, je dois avouer. Les peintres ont respecté l'article déco du *Miss Magazine* que je leur avais montré pour ma chambre. Elle est grande. Un peu comme Tommy, j'ai tout le sous-sol. Il y a de petites fenêtres (j'ai déjà commencé à observer les voitures) parce que le sous-sol n'est pas complètement «sous le sol». J'ai ma propre salle de bain, un coin bureau pour faire mes devoirs, un coin salon et mon lit. Plein de lampes cool. Esthétiquement, c'est vraiment la plus belle chambre que j'ai eue. Esthétiquement. On s'entend. Un peu plus loin, juste à côté de mon coin salon, il y a la salle de lavage, qui sera aussi une salle de débarras.

16 h 39

Pendant que je vide une boîte et en range le contenu dans ma commode, je sursaute en entendant : « Booouhhh ! » C'est Tommy.

Moi : Qu'est-ce que tu fais là ? ? ?

Tommy : Bof, j'avais rien à faire pis ça me tentait de défaire des boîtes. Ça prend six minutes venir ici en vélo.

Je lui saute dans les bras.

Tommy : Hé, dégage. C'est pas comme si t'étais partie à l'autre bout du monde pendant trois ans, on s'est vus ce matin, lâche-moi.

Moi : J'ai pas de vélo... Pis je souhaitais secrètement que tu viennes.

Tommy : Espèce de princesse qui est pas capable de défaire ses boîtes toute seule. Hé, cool ta chambre ! Trop *nice* !

Moi : C'est moi qui ai eu l'idée d'une ambiance « lounge ».

Tommy : Les partys qu'on va faire ici... Solide !

Moi : Mets-en !

Tommy (en pointant le coin coussins de mon petit salon) : Je pourrais venir jouer de la guitare ici, pendant que tu fais tes devoirs là (il pointe mon coin bureau).

Moi : Hé, non ! Ça va me déranger !

Tommy : Ben non !

Sybil saute dans la boîte que je suis en train de défaire et se couche sur mes vêtements en ronronnant. Et, puisqu'elle m'empêche de travailler, je le prends comme un signe que ce n'est pas un bon moment pour défaire mes boîtes.

19 h 37

Tommy et moi avons placé les meubles à la bonne place, puis on a branché mon vieux Nintendo et on a commencé à jouer à de vieux jeux au lieu de défaire les boîtes. Nous avions carrément perdu la notion du temps quand ma mère est venue nous offrir de la pizza.

23 h 12

Tommy est parti quand je lui ai dit que je voulais coller de nouvelles étoiles sur mon plafond. Il a dit qu'il pouvait m'aider à n'importe quoi, sauf ça. Je me suis mis de la musique et j'ai commencé à me faire une galaxie.

23 h 13

Ma mère est arrivée pendant que j'étais sur un escabeau en train de coller mes étoiles fluorescentes et m'a demandé :

– Vas-tu être correcte ?

Moi : En général dans la vie, dans ma chambre ou pour coller mes étoiles ? Parce que c'est pas vraiment précis.

Ma mère : Je pensais juste pour la nuit, mais réponds donc aux trois pour voir.

Moi : Ben... en général dans la vie, oui. Pour coller mes étoiles, ben je commence à avoir mal au bras. Pis dans ma chambre, je pense que ça va être correct.

Elle regarde un peu autour et dit :

– Tu ne devrais pas défaire tes boîtes avant de coller ces machins-là au plafond ?

Moi : Hum... Non. J'ai mon propre ordre pour faire les choses. Les étoiles, c'est le plus important.

Ma mère : Bon, d'accord. Mais ne laisse pas trop traîner ça, hein ? Veux-tu qu'on fasse ton lit ?

Je descends de mon escabeau et je l'aide à prendre les couvertures qu'on étend.

Puis, on se couche toutes les deux dans mon lit.

Ma mère : T'es sûre que tu vas être correcte ?

Moi : Oui.

Ma mère reste couchée en regardant un peu mon plafond, puis elle se tourne vers moi en appuyant son visage sur sa main et me dit :

– Ça me fait quelque chose à moi aussi, t'sais...

Je la regarde sans rien dire et je lui caresse les cheveux en regardant son cou rougir, comme chaque fois qu'elle s'empêche de pleurer.

Ma mère (en se retournant sur le dos, après s'être essuyé un début de larme) : C'est beau, tes étoiles. Je te comprends de vouloir commencer par décorer. Ce ne serait pas ma méthode, mais c'est ta chambre, fais ce qui te plaît.

Moi : C'est pas fini. J'ai comme l'idée de tout un cosmos, ça va être plus hot que dans mon autre chambre !

Ma mère me regarde et sourit, puis elle dit :

– Hmmm... Ils sentent bon, hein, les draps ? Est-ce qu'il y a quelque chose de plus le fun dans la vie que de dormir dans des beaux draps propres ?

Moi : Ben... considérant que c'est à la Ronde que je me fais le plus de fun, les draps propres, c'est comme vraiment pas dans mon top dix.

Ma mère éclate de rire en disant qu'elle se trouve un peu nounoune avec son commentaire.

Puis, elle se lève et repart en me redemandant une fois de plus si je vais être correcte et je l'assure que oui. Et je le pense.

Lundi 2 juillet

À : Aurélie Laflamme
De : Katryne Demers
Objet : Pis ???

Allô !

Pis ??? Ta nouvelle maison ??? Ta chambre est-elle comme l'article du *Miss* qu'on avait choisi ??? Pareille ??? J'ai trop hâte de la voir !!! Est-ce que Tommy est allé t'aider comme il te l'avait promis ? Ça ne me surprendrait pas qu'il ne l'ait pas fait. Il est tellement con, des fois ! En tout cas... J'aurais vraiment aimé ça être là... J'ai vraiment beaucoup pensé à toi.

Pour ma part, je suis vraiment contente d'être revenue ici. J'ai retrouvé quelques amis. Certains indésirables ne sont pas là (genre David Desrosiers, l'homonyme pas à la hauteur de l'original, ou des filles que je n'avais pas trop aimées l'an passé). Mais il y a du nouveau monde vraiment cool avec qui je m'entends bien. Je suis ici pour encore trois semaines et je tripe comme une malade !!!

J'ai retrouvé mon Roscoe !!!! Je ne sais pas si je rêve, mais j'avais l'impression qu'il était content de me voir. Je l'ai déjà monté plusieurs fois depuis mon arrivée. Demain, nous partons en expédition d'autosuffisance avec un groupe. «Autosuffisance» est une façon de parler, on ne va pas se nourrir de champignons dans le bois (ce serait ton genre de penser ça!), mais on part en groupe, à cheval, et on dort dans des tentes, etc. Ça va être trop cool! (Toi, tu haïrais ça, c'est clair! Hahaha! Juste à t'imaginer, je suis morte de rire!!!)

Je pense beaucoup à toi et je m'ennuie déjà!

Je te frenche! (Joooooke!!!!!!! Mais P.-S.: Honnêtement, il n'y a personne à frencher ici...)

Kat

xx

Mercredi 4 juillet

TEST: FAIS-TU PARTIE DU DÉCOR?

Dans une maison, quel meuble serais-tu? Fais le test pour le savoir!

1. QUELLE EST LA PREMIÈRE CHOSE À LAQUELLE TU PENSES LORSQUE TON RÉVEILLE-MATIN SONNE?

a) Tu es déjà dans la cuisine en train de préparer ton déjeuner.

b) Groaaaarrr ! Cinq... non, dix heures de plus s'il-vous-plaaaît !

c) Vite ! Tu dois te lever ! Trop de choses à faire !

2. COMBIEN DE FOIS PAR ANNÉE ARRIVES-TU EN RETARD À L'ÉCOLE ?

a) Jamais ! Ce serait ton pire cauchemar !

b) Tu ne notes pas ce genre de statistique.

c) Tu as eu tellement de retenues à ce sujet que le directeur est devenu un ami de la famille.

3. DE QUOI A L'AIR TA CHAMBRE ?

a) Tout est bien rangé, à sa place.

b) C'est le chaos, mais tu t'y retrouves.

c) Quelque chose semble pousser sous ton lit. Et tu as décidé que ce serait ton projet pour le cours de sciences.

4. QU'EST-CE QUE TU FAIS APRÈS L'ÉCOLE ?

a) Tu fais tes devoirs, car tu n'aimes pas que le travail s'accumule.

b) Tu vois tes amis et vous jouez à des jeux vidéo pour relaxer.

c) Ça dépend des jours, car tu es inscrite à plusieurs activités parascolaires sportives et artistiques.

5. TES PARENTS DOIVENT VENIR TE CHERCHER APRÈS UNE ACTIVITÉ, MAIS ILS T'APPELLENT POUR TE DIRE QU'ILS SERONT EN RETARD D'UNE HEURE. QUE FAIS-TU EN ATTENDANT ?

a) Tu en profites pour terminer un devoir.

b) Tu écoutes de la musique en lisant un magazine.

(c) Tu es vraiment fâchée contre eux, et ça te mène en thérapie de gestion de la colère.

6. LAQUELLE DE CES ACTIVITÉS TE RESSEMBLE LE PLUS ?

a) Un club d'échecs.

b) Une troupe de théâtre.

c) Une équipe sportive.

7. QUELLE EST TA MATIÈRE PRÉFÉRÉE À L'ÉCOLE ?

a) Les sciences.

(b) Le français.

c) La géographie.

8. QUE REGARDES-TU À LA TÉLÉVISION ?

a) Le réseau de l'information et/ou Canal D.

b) Vrak.tv

(c) Tu zappes d'une émission à l'autre.

9. TA MEILLEURE AMIE ARRIVE À CÔTÉ DE TOI ET TE DIT :

a) « Avec quel pantalon devrais-je porter ce t-shirt ? »

(b) « Qu'est-ce qu'on fait en fin de semaine ? »

c) « Raconte-moi tout ce qui s'est passé pendant ton échange interscolaire ! »

10. QUEL EST TON RENDEZ-VOUS IDÉAL AVEC UN GARÇON ?

a) Tu n'as pas vraiment le temps de t'intéresser aux garçons.

(b) Regarder un film, collés.

c) Commencer par faire du patin, ensuite aller jouer au bowling et, s'il reste du temps, lui présenter ta fameuse collection de roches.

UNE MAJORITÉ DE A
LA COMMODE

Tu es une fille très discrète. Tu es capable de garder un secret, surtout les tiens. Ainsi, tu te laisses apprivoiser tranquillement. Effacée, tu te fais des amis qu'on remarque peut-être un peu plus que toi, car tu ne recherches pas la gloire. Cette humilité t'honore. Mais tu manques peut-être un peu de confiance en toi pour dévoiler ce que tu es vraiment, que tu ne trouves pas particulièrement spécial. Laisse la chance aux autres de découvrir les trésors qui se cachent dans tes tiroirs. Et lâche un peu ton fou ! Après tout, il n'y a pas de mal à être un peu… malcommode !

✳ UNE MAJORITÉ DE B
LE DIVAN

Tu es le genre de fille qui peut passer inaperçue au premier abord, mais qu'on n'oublie pas une fois qu'on la connaît bien. Ton esprit rassembleur attire les gens qui gravitent autour de toi comme des aimants. Même si tu te fonds dans le décor, tu es capable d'épicer le quotidien de ta touche magique personnelle. Par contre, il peut t'arriver de succomber à la paresse.

Puisque la vie vaut la peine d'être agrémentée d'expériences excitantes, il ne faudrait pas t'asseoir sur tes acquis. N'hésite pas à explorer de nouveaux horizons !

UNE MAJORITÉ DE C
LA TÉLÉVISION

Tu es une vraie tornade ! Tu changes d'idée du jour au lendemain. Un jour, tu veux être dentiste, le lendemain, astronaute. On peut parfois te trouver étourdissante. Tu as ta propre vision de la vie et tu as soif de diversité ! Tu as besoin de la dose d'adrénaline que te procure la réalisation de toutes tes fantaisies. Mais attention : la vie est aussi palpitante lorsqu'on sait apprécier les choses plus terre à terre. Tout en continuant de voir les choses à ta façon, essaie de savourer le moment présent.

Jeudi 5 juillet

Notre maison commence à ressembler à une maison. Tommy est parti avant-hier, alors je suis toute seule de ma gang ici. Je suis obligée de me tenir avec ma mère et François. Hier soir, nous sommes allés au cinéma. Ma mère voulait aller au cinéparc, et François et moi on l'a regardée comme si elle venait de dire la pire des niaiseries. Le cinéparc ? ! En quoi ce serait le fun pour moi d'être sur la banquette arrière de la voiture où il faudrait que je me casse le cou pour voir l'écran, où on n'entend presque rien, avec les vitres super embuées et les toilettes à l'autre bout du monde??? (J'aime bien avoir des toilettes à proximité, c'est comme ça.)

Bref, on a passé la semaine à défaire des boîtes. J'ai surtout aidé à placer les choses dans les autres pièces que ma chambre, comme la cuisine. (Mais j'avoue que je me suis lassée vite de cette tâche; ma mère déplaçait chaque chose que je plaçais, car elle ne trouvait jamais que je les plaçais au bon endroit. Alors, tant qu'à travailler pour rien... Même chose dans la salle de bain. Je voulais aider, mais elle trouvait son système de classement meilleur que le mien et me laissait placer les choses, mais elle restait derrière moi et me disait où les placer. Vraiment fatigant!)

Ma chambre est belle, mais je n'y dors pas trop bien. Je crois que c'est à cause de la salle de lavage. J'ai peut-être fait une association entre les fantômes voleurs de bas et la salle de lavage qui est à dix pas de mon lit. Je sais: très bébé. Mais je ne peux m'en empêcher.

J'ai aussi gardé chez la voisine, Judith Melançon, une jeune mère monoparentale avec deux enfants en bas âge, un garçon de huit ans (Loïc, avec qui je me suis bien entendue) et une fille de deux ans (Maëva, qui pleurait sans cesse, sauf quand je chantais des tounes punks agressives en me secouant vigoureusement la tête; j'avoue qu'à la fin de la soirée, j'étais un peu épuisée). Ça m'a donné une super bonne raison pour me sauver de chez moi et de certaines tâches ménagères (hihi).

Le lendemain, madame Melançon a appelé ma mère pour me dire que ses enfants m'avaient beaucoup aimée et qu'elle désirerait que je revienne garder si ça me convenait. Ma mère lui a répondu que c'est à moi qu'elle devrait le demander. Elle m'a passé le téléphone, et j'ai dit à la voisine de me rappeler quand elle le voulait. (Il va par contre falloir que j'approfondisse mon répertoire de chansons punks agressives, mais j'ai gardé ce commentaire pour moi, je ne voudrais pas inquiéter cette mère au sujet des goûts précoces de sa fille pour la déchéance anarchique.)

Puis, hier, ma mère m'a annoncé qu'on allait passer la fin de semaine au camping avec mes grands-parents Charbonneau. J'avoue que pour la première fois de ma vie, j'étais contente d'aller au camping. Je sais, total surprenant de ma part. En fait, le camping m'apparaît soudainement comme une bonne chose pour, disons, ouvrir mes horizons. (Bon, voilà, pour être parfaitement honnête, je cohabite mal avec les fantômes de la salle de lavage. Partir me semble idéal.)

Samedi 7 juillet

Mes grands-parents Charbonneau passent tous leurs étés au camping. Honnêtement, je n'ai jamais compris. C'est aaaaarchiiiiiplaaaaaateeeeee. Il n'y a rien à faire. Ils vivent dans une roulotte grande comme ma main (OK, un peu plus grande), mangent dans des mini-assiettes, avec des mini-ustensiles, sur une mini-table, regardent des films sur une mini-télé, dorment sur des mini-lits et regardent par des mini-fenêtres. Le soir, s'il fait beau, on mange dehors, comme la plupart des campeurs.

Habituellement, ma mère et moi venons y passer une ou deux fins de semaine par été. J'ai toujours détesté ça. Ma mère me répète que je pourrais me faire des amis, mais je n'ai absolument rien en commun avec les gens qui aiment faire du camping. RIEN. DU. TOUT.

L'an passé, j'ai pu éviter de venir ici puisque ma mère était en France et que j'étais chez ma grand-mère Laflamme.

François n'est pas un fan de camping « de luxe » (son expression, car je ne vois vraiment pas où il voit du luxe ici) et il a accepté de venir à la seule condition qu'on aille passer une nuit en vrai camping sauvage, dans la vraie forêt.

D'ailleurs, François refuse catégoriquement de dormir dans la roulotte de mes grands-parents, car il préfère avoir son intimité et il ne veut pas dormir dans un lit trop petit pour lui. (Pour une fois que lui et moi nous comprenons, ce n'est certainement pas moi qui vais le contredire!)

13 h 51

Nous sommes arrivés vers 11 h 15 au camping. (J'étais fâchée de me lever si tôt en vacances et ma mère m'a dit que je pourrais dormir en voiture, mais j'en étais incapable, parce que quand je suis montée, il y avait une araignée sur ma fenêtre et, bien que François l'ait tuée, j'avais peur que toute sa famille soit dans la voiture alors j'étais hyper stressée.)

Arrivés dans l'allée menant à la roulotte de mes grands-parents, j'ai remarqué à ma gauche une piscine, entourée de plein de roulottes, tentes-roulottes et motorisés; plusieurs barbecues, un mini-cinéparc et, à l'horizon, un lac, avec un quai et plein de familles qui y jouaient déjà. Plusieurs personnes déjeunaient et semblaient tout à fait à l'aise de se montrer à leur voisin en tenue de nuit: pyjama, jaquette, etc. (le « etc. » des vêtements de nuit inclut tout ce qu'on prend pour se créer un vêtement pour la nuit, c'est-à-dire vieux t-shirt et pantalon de jogging).

Nous avons dîné avec mes grands-parents qui étaient bien contents de nous voir.

Je n'ai pas pu amener Sybil. Je suis un peu inquiète de la savoir toute seule à la maison. Ma mère trouvait que ce serait peut-être un peu difficile de la surveiller, en pleine forêt. (Ce camping me semble se trouver à des lieues d'une forêt, mais bon.) J'ai fini par me résigner quand elle m'a dit qu'elle pourrait se perdre et qu'on aurait peut-être du mal à la retrouver. Juste à la pensée de perdre Sybil, mon cœur s'est tout entortillé dans ma poitrine, alors j'ai accepté de la laisser à la maison. (Mais j'y suis retournée trois fois pour lui donner des bisous et lui dire au revoir... Ai-je bien barré la porte en sortant la troisième fois? Je me le demande, mais je n'en ai pas parlé à ma mère.)

Après le dîner, nous sommes partis dans le bois avec notre tente. François était tout excité à l'idée de faire du camping sauvage. De mon côté, en avançant sur le sentier, je n'arrêtais pas de regarder partout au cas où des araignées pendraient des arbres.

15 h 01

Après une marche inteeeeeeerminable, François a pointé du doigt un endroit qu'il trouvait parfait pour y installer la tente.

Moi: Bon, qu'est-ce qu'on fait?

François: Il faut monter la tente, accrocher la nourriture dans un arbre et aller chercher du bois pour nous faire un bon feu.

Moi: Un bon feu, contrairement à un mauvais feu?

Ma mère me lance un regard signifiant que mon commentaire n'est pas le bienvenu pour l'entente familiale.

Est-ce ma faute, moi? Je trouve que parfois, c'est inutile d'ajouter des qualificatifs. Un feu, c'est un feu. Il n'y a pas de bon ou de mauvais feu. Franchement!

15 h 15

Ma mère a placé le sac de nourriture dans un arbre, François a monté la tente et j'ai apporté tous les bouts de bois que j'ai trouvés.

Moi: Qu'est-ce qu'on fait maintenant?

François : C'est l'aventure ! Ici, nous ne sommes pas esclaves du temps. Respire le bon air de la nature.

15 h 16

Je suis assise sur une chaise pliante et je respire.

15 h 17

Je respire.

15 h 18

Je respire.

15 h 19

Je respire.

15 h 20

Ouain, ça sent bon.

15 h 21

Moi : Qu'est-ce qu'on fait maintenant ?

François : Respire le bon air.

Moi : J'ai fini.

François : Comment ça, tu as fini ? On ne peut pas finir de respirer !

Moi : Ben oui, j'ai respiré, ça sent ben bon, mais là... je n'ai plus rien à faire.

Ma mère : Lis.

J'ai toujours détesté le camping. Je n'aime pas ça, bon. C'est plate. Il n'y a rien à faire.

François : Hé, je sais ce qu'on peut faire ! On écrit des chansons sur des bouts de papier, on en pige une et on essaie de deviner ce que c'est.

21 h 41

Bon, j'ai passé une journée pas si pire. Et on a mangé des hot-dogs et j'avoue que ça goûtait vraiment bon. Pas comme d'habitude. Ça doit être grâce au «bon feu». Tsss!

22 h 17

In-ca-pa-ble de dormir. François est à un bout de la tente, ma mère est au milieu et je suis à l'autre bout. Je suis collée à ma mère et François ronfle.

22 h 23

J'ai vraiment envie d'aller faire pipi. Mais j'ai un peu peur de sortir. Il y a plein de bruits. De craquements. Et des criquets. Mais je n'ai pas le choix.

22 h 24

J'essaie de sortir de la tente sans trop déranger ma mère et François. Je dézippe la fermeture éclair de la porte tranquillement pour ne pas faire de bruit. Puis, je sors et je ne m'éloigne pas trop et je tente de faire pipi dans le bois. (P.-S.: Je déteste ça. Je ne comprends pas que les humains aient évolué en inventant des toilettes et toutes sortes de commodités comme ça, et qu'on puisse avoir envie volontairement de retourner à l'époque de l'homme des cavernes en faisant du camping. En tout cas.)

22 h 25

J'entends un bruit. Comme si quelqu'un marchait dans les buissons. Je sursaute et je crie en courant vers la tente:

– AAAAAAAAAAAAAAAHHHH ! UN EXTRATERRESTRE, UN EXTRATERRESTRE!

J'ouvre la porte et je me cache dans mon sac de couchage.

François (endormi): Qu'est-ce qui se passe?

Moi: J'ai entendu marcher dans les buissons, on dirait qu'il y a un extraterrestre.

François: Un extraterrestre? Voyons, on est dans le bois! À ta place, j'aurais peur des ours, des renards, des ratons laveurs...

Moi: Quoi?!? Tu nous as emmenées ici en étant *conscient* qu'il pouvait y avoir des ours?!

François: Ben pourquoi tu penses qu'on a accroché les sacs de bouffe dans les arbres?

Moi: Je pensais que c'était une tradition de camping pour empêcher que le sac se remplisse de fourmis ou quelque chose du genre! J'en reviens pas que tu aies mis *consciemment* notre vie en danger.

Ma mère: Aurélie, tu exagères!

J'ai peur des extraterrestres en camping. Les ours, ça va. Les ratons laveurs aussi. Moi, Aurélie Laflamme, j'ai peur des extraterrestres en camping. Bon. Une fois, mon grand-père a croisé un ours dans le bois. Il lui a crié: «Quesse tu fais làààà!» Et l'ours est parti. Dans ma famille, on sait donc se défendre contre les ours.

Mais les extraterrestres? Qu'est-ce qu'on fait quand on est seul dans le bois et qu'on rencontre un extraterrestre qui veut nous enlever? Ou qui a un fusil laser? Non, vraiment, tant que les extraterrestres n'auront pas été démystifiés, le camping est trop dangereux.

Quand j'étais jeune (l'an passé), je pensais que j'étais moi-même une extraterrestre. J'étais vraiment nouille dans ce temps-là! Complètement immature. Mais bon, ça ne veut pas dire que, parce que je ne suis pas *moi-même* une extraterrestre, ça n'existe pas. Et s'il en existait, ils se cacheraient forcément dans le bois.

Je pourrais devenir biologiste. Ou carrément chercheuse d'extraterrestres. Comme ça, j'aurais les bons outils pour me défendre contre eux. Merde, je n'ai vraiment pas fait le bon choix de cours! (Quoique je me demande quel aurait été le bon choix, car il n'existe pas de cours d'extraterrestres.)

Dimanche 8 juillet

Je me suis réveillée le visage dans l'eau, dans le coin de la tente. Il a plu pendant la nuit. Mon sac de couchage est tout mouillé et tous mes vêtements sont humides. Je n'ose pas rouspéter de vive voix. Mais je le fais dans ma tête. J'ai juste hâte de m'en aller chez moi. Mais étrangement, je n'ai pas l'impression que ma nouvelle maison, c'est chez moi. Alors, je ne sais pas où j'ai envie d'aller vraiment. Je ne sens pas que j'ai un chez-moi, en ce moment. C'est ici, dans l'humidité de la tente, pendant qu'on ramasse nos affaires pour retourner au terrain de camping sous la pluie, que je réalise que je retourne vers quelque part qui n'est pas vraiment encore chez moi. Et qu'à part le fait que Sybil m'y attende, rien ne me donne envie d'y retourner. Peut-être que j'aurais besoin d'un petit congé de ma vie? Comme celui que j'ai eu avec ma grand-mère l'an passé?

9 h 01 (Eh oui, on se lève tôt en camping, surtout quand c'est parce que votre visage baigne dans l'eau de pluie.)
Sur le chemin du retour, l'idée germe en moi. Je pourrais rester ici. Pas dans les bois comme si j'étais un yéti ou quelque chose du genre, mais avec mes grands-parents. Loin des responsabilités familiales et tout. Ma mère voulait qu'on passe du temps ensemble, mais François et elle travaillent, mes amis sont partis et je suis toujours toute seule dans la nouvelle maison où je ne me sens pas tout à fait chez moi. Tandis qu'ici, je pourrais être avec mes grands-parents. Bon, je ne suis pas avec Sybil. Mais Sybil ne serait pas seule, elle serait avec ma mère.

Je suis surprise de constater que j'envisage de passer du temps en camping. Je crois que, dans le fond, avoir survécu à cette nuit dans les bois m'a fait réaliser qu'il y a pire que de dormir dans une roulotte. Ce qui est une bonne chose. Peut-être que j'aurais vraiment besoin de découvrir autre chose. Une nouvelle passion pour l'aventure.

9 h 09
Même si mes pieds s'enfoncent dans le sol mouillé et que chacun de mes pas fait entendre

un clapotement et que je dois fréquemment forcer pour décoller ma semelle de la boue, je demeure étrangement zen grâce à mon nouvel esprit aventurier.

9 h 12

Nous arrivons à la roulotte de mes grands-parents qui prennent un café dans le coin salle à manger du minuscule habitacle. Ma grand-mère a une jaquette absolument affreuse et un peu transparente, si bien que je ne regarde pas dans sa direction (et je crois que François fait pareil) jusqu'à ce qu'elle aille se mettre une robe de chambre.

9 h 15

Ma grand-mère m'apporte des toasts et j'étends du beurre d'arachide dessus. Je leur fais part de mon projet.

Ma mère : Et tu resterais ici combien de temps ?

Moi : Je ne sais pas, une semaine, peut-être ? Ou deux.

Ma grand-mère : C'est certain que tu es la bienvenue ! On serait très contents de t'avoir avec nous.

Moi : Je pense que ça me changerait les idées d'être ici.

Ma mère : Mais tu disais détester le camping...

Moi : J'ai... exagéré. T'sais, quand je parle, faut que t'enlèves... euh... dix pour cent minimum... Aller dans le bois avec vous m'a fait découvrir, euh... la nature. Et je trouverais ça dur de... repartir maintenant que je me suis découvert cette passion pour... le plein air. Je

212

crois que j'aurais le goût d'être un peu avec mes grands-parents.

Mon grand-père : Mais regarde donc si elle est *cute*, elle.

Ma grand-mère : Tu peux rester tout l'été si tu veux.

Moi : Pis tu disais pas que *Jonathan Livingston le goéland* était une ode à la liberté ? T'sais, lui, il faisait ce qu'il voulait, même si sa famille n'était pas d'accord.

Ma mère : Bon, bon, bon, tu vas me sortir cet argument-là, toi. On a plein de travail à faire à la maison et tu n'as même pas défait tes boîtes !

Je regarde ma mère avec des yeux d'éperlan frit. (Honnêtement, c'est une expression que j'ai entendue. Je sais que ça signifie « suppliant », mais je ne sais pas du tout de quoi ont l'air les yeux d'un éperlan frit et j'imagine que ça ne doit pas être si charmant...)

Moi : S'il te plaît, s'il te plaît ! Ça va être... une expérience de vie ! Je déferai mes boîtes plus tard !

Ma mère regarde François (comme s'il avait rapport là-dedans). Il hausse les épaules en signe d'appui et elle dit :

– Mais as-tu tout ce qu'il te faut dans tes valises ?

Moi : J'avais justement trop mis de choses...

Ma mère : Bon, d'accord.

Moi : Tu vas t'occuper de Sybil ?

Ma mère : C'est sûr, tu le sais bien.

12 h 13

J'ai regardé l'auto de François partir alors que je restais avec mes grands-parents. J'ai

213

presque eu le goût de courir derrière eux et de monter dans l'auto en marche, comme dans les films d'action, parce que, pendant un moment, je me suis demandé à quoi j'avais pensé. Mais je crois que j'ai pris la bonne décision. Les vacances, ça sert à ça. Oublier tout. Même sa vie. Ici, je suis loin de tout, ça va me changer d'air.

Lundi 9 juillet

Mais à quoi j'ai pensé? À quoi j'ai pensé???

Il y a une chose à laquelle je n'avais pas pensé en venant ici: Internet. Je n'ai pas Internet!

C'est vraiment la vie sauvage dans le bois! Un genre de retour à la terre.

Je ne le savais pas, mais sans Internet, tout mon corps tremble. J'ai besoin d'Internet. Lire mes courriels. Aller voir les nouveaux vidéos sur YouTube. Tout à coup que je manquerais une information importante, style apocalypse? Je serais coincée ici, au camping.

Bon, pas de panique. Je ne peux pas croire qu'il n'y a pas quelqu'un, quelque part ici, qui a un ordinateur.

8 h 51 (Eh oui... vu que je n'avais rien à faire hier soir, je me suis couchée hyper tôt et je me suis levée à 7 h 32: ishhhh!)

Je suis partie faire le tour du camping à la recherche d'un ordi. Il n'y a pas beaucoup de gens réveillés.

8 h 52

Honnêtement, François a raison, c'est vrai que ça sent bon. Une petite odeur de forêt, mélangée à celle du lac.

8 h 53

Je m'approche du quai où je suis attirée par la vue. Je m'assois au bout, oubliant complètement ma quête d'Internet. Je regarde les pédalos qui y sont attachés et qui flottent en se cognant doucement, un pneumatique, des nouilles flottantes. Puis, je regarde l'horizon et je suis complètement hypnotisée par le soleil un peu orangé qui brille sur l'eau du lac.

8 h 54

Euh??? Rapport de m'extasier sur le soleil qui brille sur le lac?

8 h 55

Trouver un ordi. Il me faut trouver un ordi. Je me relève et je continue ma marche matinale.

8 h 56

Oh! Une idée! Il y a un bureau appartenant aux propriétaires du camping, c'est là qu'on s'enregistre et tout et tout. C'est clair qu'ils doivent avoir un ordi! Excellente déduction! Ohhh! Je ferais une super détective!!!

8 h 59

Je suis derrière le bureau d'enregistrement. Appuyée contre le mur arrière du bureau, cachée des occupants (mais pas des campeurs), je regarde par la fenêtre pour voir s'il y a un ordinateur.

9 h

On ne voit rien. Le soleil se reflète sur la vitre. Je dois regarder de plus près en me cachant de la lumière.

9 h 01

Je regarde, le nez collé à la fenêtre, en entourant mon visage de mes mains. Oh! Un ordi! Un ordi! Un vieil ordi. Gris. La beauté de l'ordi ne compte pas, l'important, c'est de lire mes courriels.

J'élabore un plan qui me permettra d'entrer tout en jetant un dernier coup d'œil à l'ordinateur.

Oh! Merde! Une madame! Que faire?

9 h 01 (et 30 secondes)

Je m'enfuis en courant.

9 h 03

En regardant derrière moi pour voir si la dame m'a suivie, je fonce dans un arbre.

Puis, l'arbre s'excuse.

Oh boy! Je dois m'être frappée fort. Je vois l'arbre flou qui me parle en bougeant ses branches. Je ne réponds rien. (Qui voudrait parler à un arbre?) Mais l'arbre insiste pour me parler.

Peut-être que je vis une espèce d'expérience paranormale comme il en arrive à certaines personnes dans les bois. Dans *Le Seigneur des anneaux*, il y a des arbres vivants. Après tout, ces contes et légendes doivent venir de quelque part. Peut-être que les auteurs de ces œuvres ont *réellement* croisé des arbres qui parlent... (tout comme moi). Je pense qu'il faut être ouverte à ce genre d'expérience paranormale. Peut-être que l'arbre a un message à me transmettre. C'est même peut-être un rêve et l'arbre me dira des choses très importantes sur ma vie. Il est préférable de l'écouter. C'est peut-être ça que Sonia voulait dire lorsqu'elle me disait que, pour écrire de la poésie, il fallait que je sorte des sentiers battus.

Je frotte la bosse que je semble avoir sur la tête.

Arbre : Ouch ! On s'est frappés fort.

Ma vision devient un peu plus claire. Je vois des bermudas bruns et un t-shirt vert, camouflé par une lumière blanche qui m'aveugle, sûrement à cause du choc.

L'arbre a un look surf.

Arbre : Es-tu correcte ?

Moi : Euh... oui... monsieur, euh... arbre.

Arbre : Tu ris de mon linge ? Ouain, peut-être que j'aurais dû mettre mon t-shirt blanc. Ou jaune. Moi, c'est Emmerick.

Moi : J'savais pas que vous vous donniez des noms, entre vous, dans la forêt...

Arbre ou plutôt Emmerick-l'arbre : Ben là, de quelle planète tu viens, toi ? Tout le monde a un prénom ! En ville ou en campagne.

Moi (en me frottant toujours) : Ah ouain ?

L'arbre me demande quel est mon nom, d'où je viens, je lui réponds, il me dit qu'il vient de la même place que moi, mais pas du même quartier et, au moment où j'allais lui demander qui l'avait transplanté, ma vision s'éclaircit et je vis un choc intense, plus intense encore que celui qui m'a causé une bosse. J'ai devant moi Edward Cullen! Ou plutôt, son sosie. Ou plutôt le sosie de Robert Pattinson. J'ai beau frotter vigoureusement ma bosse, ce n'est pas une hallucination. C'est son sosie! Son so-sie. Avec les sourcils un peu moins fournis. Et la bouche peut-être un petit peu moins charnue. Et les cheveux un peu plus pâles. Et moins longs sur le dessus. Et la mâchoire un peu moins carrée. Et le nez un peu moins pointu. Mais en tout cas, dans le noir, c'est sûr, on pourrait les confondre!!!

Emmerick: Tu t'es frappée fort, hein? C'est correct, ta bosse? Il y a un centre de premiers soins, tu veux que je t'y emmène?

Moi: Est-ce qu'on t'a déjà dit que tu ressemblais à Edward Cullen? Ben... Robert Pattinson?

Emmerick: Ouain, y a de plus en plus de filles qui me parlent de ça. Des fois, je me demande si je ne suis pas somnambule et si je ne suis pas allé à Hollywood toutes les nuits pour tourner ce film. Mais non, sérieux, je ne vois pas la ressemblance.

Ohhhhhh! Il est drôôôôôôôôôle!

Alerte générale. Coup de foudre. Intense.

Maintenant, tout s'explique. Tout semble se placer dans ma tête. Ma rupture avec Nicolas. Le baiser de Tommy devant MusiquePlus. L'échec avec Iohann. Tout! C'était mon destin! Une série de conjonctures m'amenant à aujourd'hui, 9 juillet, date de ma rencontre avec Emmerick, mon âme sœur cosmique.

J'imagine très bien qu'Emmerick et moi étions des âmes égarées au Ciel. Éperdus d'amour dans une autre vie, nous avons demandé à nous retrouver dans cette vie-ci. Ils ont accepté, à condition que ça ne soit pas facile et que nous ayons plusieurs obstacles à traverser avant de nous retrouver (le confondre avec un arbre en était sûrement un). C'est pourquoi je n'aime pas (ou plutôt n'aimais pas, car c'est du passé) le camping. Comme ça, je n'avais pas envie de venir ici. Si j'avais aimé ça, ç'aurait facilité notre rencontre. Mais les astres se sont alignés et mon instinct m'a guidée vers lui. C'est pour ça que je suis partie à la recherche d'un ordi, c'est pour ça que je suis restée admirer le soleil, c'est pour ça que je n'arrivais pas à voir par la fenêtre et que j'ai dû me sauver. Tout s'est mis en place pour que je lui fonce dedans.

J'ai perdu tant de temps à me poser des questions alors qu'il y avait une explication tellement logique!

Emmerick: Est-ce que ça fait longtemps que t'es ici?

Moi: Je suis arrivée hier. Ben, avant-hier. En tout cas, je ne sais plus trop. Mais j'ai décidé de rester un peu, avec mes grands-parents.

Emmerick: C'est qui, tes grands-parents?

Moi: Les Charbonneau.

Emmerick: Oui, sont cool. Ton grand-père est vraiment populaire avec ses *grilled-cheese*!

Moi: Ah oui?

Emmerick: T'en as jamais mangé?

Moi: Ben... oui, mais... c'est juste les *grilled-cheese* de mon grand-père. Rien de spécial.

Emmerick: Rien de spécial? Chaque fois qu'il en fait, toute la gang s'en va lui en demander. Il achète toujours du pain supplémentaire. Il est cool, monsieur Charbonneau.

Moi: Ah.

Mon grand-père est cool? Eh ben.

Emmerick: Tu restes combien de temps?

Moi: J'sais pas. Un petit bout, je pense.

Emmerick: Le soir, une gang, on se rencontre près du lac, si jamais ça te tente.

Moi: OK.

11 h 10

Plan: ne pas le coller comme une sangsue.

Parlant de sangsue, je me demande s'il y en a dans le lac. Hum...

11 h 11

Cher 11 h 11, je voudrais vous remercier d'avoir mis Emmerick je-ne-sais-pas-qui sur ma route pour qu'ainsi nous puissions réaliser notre rêve du temps que nous étions tous les deux au paradis. Je suis consciente que dans les dernières années, j'ai fait des vœux vraiment pas rapport, mais si ce soir Emmerick et moi pouvions nous embrasser, je vous trouverais vraiment extra extra cool pour le reste de ma vie. Merci. P.-S.: Éloignez de moi les sangsues s'il vous reste du temps.

21 h 15

J'adopte une attitude nonchalante en me rendant vers le lac. Il ne faut pas que j'aie l'air d'avoir compté les minutes toute la journée

(vraiment une des plus longues de ma vie),
même si Emmerick et moi sommes prédestinés.
Il ne l'a peut-être pas encore réalisé, alors il vaut
mieux que je n'aie pas trop l'air de connaître
notre pacte pré-vie et qu'on le découvre ensemble
un jour. Alors, avoir l'air de ne pas trop savoir si
j'ai le goût d'assister à leur soirée, mais me présenter de façon amicale est la meilleure attitude à
adopter. Évidemment, tout est dans le « dosage »
de mon sourire. Trop sourire équivaudrait à annoncer mon coup de foudre (justifié pour cause
de pacte pré-vie) pour Emmerick et ne pas assez
sourire équivaudrait à faire croire que je me fous
d'eux (alors que ce n'est pas le cas, pour cause de
pacte pré-vie, mais aussi parce que j'ai vraiment
le goût de rencontrer des nouveaux amis). Donc,
sourire moyen.

21 h 17
J'arrive (avec mon sourire moyen) sur le
quai où m'a donné rendez-vous Emmerick.
(Ahhhhh ! Eeeemmeeeeriiiiick ! Bon, on se
calme.) Je suis un peu intimidée par cette gang
(mais je tente tout de même de conserver mon
sourire moyen).

Emmerick regarde les étoiles dans un télescope
(c'est un signe de nos affinités). Je m'approche
de lui et lui donne trois petits coups d'index
derrière l'épaule. Il se retourne. Il plisse les yeux
(trop charmant) et me reconnaît :

– Ah, Aurélie !

Je le savais. Dans le noir, il est VRAIMENT
le sosie de Robert Pattinson (surtout quand il
est loin de l'éclairage lunaire ou de celui des
petites lanternes de couleur).

21 h 35

Emmerick (ouuuuhhhh!) m'a présentée à toute la gang.

Il y a Valérie Morin-Beaufort, une fille de seize ans assez sympathique, qui fait des blagues un peu grivoises...

Son chum s'appelle Benoît Gervais. Il est assez grand, il a dix-sept ans et il est beaucoup plus discret que Valérie, mais il rit de toutes ses blagues.

Et, entre eux, ils semblent se surnommer mutuellement « Pouh » (?!).

Damien Blackburn est le meilleur ami d'Emmerick. Précision : son meilleur ami du camping, car il paraît que, n'habitant pas dans la même ville, ils ne se parlent pas de l'année, mais sont toujours contents de se retrouver, année après année, ici. Damien s'en va dans quelques semaines dans un camp de cadets anglophone. Il paraît que, bien que son père soit anglophone, il parle mal en anglais (nous avons fraternisé sur nos difficultés avec cette langue), donc c'est pour ça qu'il ira passer une semaine en immersion anglaise dans un camp. Je lui ai demandé si une semaine allait être assez et il a répondu :

– Sûrement pas ! Mais t'sais, les parents !

Damien m'a demandé où j'habitais et je lui ai répondu en précisant que j'avais déménagé récemment. Il m'a demandé :

– Aimes-tu ta nouvelle maison ?

Et j'ai répondu (alors que tous les autres me regardaient comme si leur vie dépendait de ma réponse) :

– Euh... oui, parce que... euh... je vais beaucoup m'améliorer en... mécanique. Vu que de ma chambre, j'ai une vue exceptionnelle sur... les autos.

Note à moi-même : Travailler ma façon de livrer mes blagues. Ça peut être très intimidant de faire une tentative de blague quand personne ne rit.

Moi : Euh... c'est une blague.

Tout le monde : Ah ! OK. Hahahaha !

J'ai rencontré plein de monde, des gens un peu plus jeunes (dont le frère d'Emmerick, Zachary, qui a dix ans) et d'autres un peu plus vieux. Tous étaient rassemblés sur le quai, mais Emmerick m'a dit que Valérie, Ben et Damien étaient ses meilleurs amis. Ceux qu'il côtoie depuis son enfance, ici, annuellement. Ils m'ont raconté plusieurs souvenirs et anecdotes de leur passé ici.

J'ai peut-être finalement perdu beaucoup de temps à ne pas aimer le camping... (Même si j'avoue que, après trois anecdotes, je m'efforçais de rester attentive parce que j'avais l'impression qu'ils se cherchaient un nouveau public pour raconter leurs souvenirs.)

22 h 13

Note à moi-même : Quand une gang déjà formée vous raconte ses souvenirs, n'allez surtout pas leur raconter un des vôtres, ça ne les intéresse pas. Et comme il n'y a personne de votre bord pour rire de l'anecdote où « il fallait être », vous êtes toute seule à rire et ça crée un léger malaise.

Comment éviter les malaises, par Aurélie Laflamme :
• éviter de raconter des blagues ;
• éviter de parler ;

• éviter carrément d'ouvrir la bouche. (Peut présenter quelques problèmes ou difficultés, style si tu as le nez bouché. Système à perfectionner.)

22 h 45

Je suis tout près d'Emmerick et il me raconte des trucs sur les planètes et les étoiles. C'est intéressant, mais je n'écoute pas trop parce que je connais déjà ces informations.

22 h 46

Emmerick est assis sur le quai et on regarde la lune. On dirait qu'il ne se lasse pas de parler d'étoiles, même si j'essaie de changer de sujet.

22 h 47

Valérie : Heille, Blouin ! Laisse-la tranquille avec tes étoiles, elle ne voudra plus jamais se tenir avec nous autres !

Moi : Ben non... c'est correct. J'aime ça, les étoiles.

Nanana n'aime shcha les zétoiles. Ah ! Grosse nouille !

Note à moi-même : Blouin... Emmerick Blouin ! Aaaahhhhh !

22 h 48

Aurélie Blouin.
Aurélie Laflamme Blouin.
Aurélie Blouin Laflamme.

22 h 49

Bon, évidemment, notre futur mariage ne changera rien. Je vais garder mon nom.

(Ma mère me renierait à tout jamais si je prenais le nom de mon mari.) C'est juste une technique puisée à même les traditions ancestrales pour voir si notre prénom va avec le nom de famille de notre futur chum. Exemple, si je rencontrais un gars dont le nom de famille est Bertrand, ça ne fonctionnerait pas du tout. Trop de « r ». Je ne sais pas, c'est une question de numérologie ou un truc du genre. Tout le monde sait que trop de lettres pareilles, ça fait, disons, des frictions.

Note à moi-même : Si jamais la machine à voyager dans le temps est un jour inventée et que mon moi du futur relit mes pensées, à cet instant précis où je cherche à voir si mon prénom s'agence bien au nom de famille d'Emmerick, je tiens à préciser (à mon moi du futur) que je ne suis aucunement réfractaire aux percées du féminisme ni à n'importe quelle forme d'évolution. C'est seulement par, euh, disons, « nostalgie romantique » que je le fais, style hommage à mes grands-parents (qui portent le même nom).

P.-S. : Message à mon moi du futur (s'il advenait qu'elle puisse lire mes pensées) : Si tu pouvais m'écrire ici ce que je fais dans la vie, professionnellement, ce serait super.

P.P.-S. : Message à mon moi du futur : Si tu pouvais m'écrire si je sors encore avec Emmerick Blouin et comment nous avons commencé à sortir ensemble, ce serait super.

P.P.P.-S. : Message à mon moi du futur : S'assurer que j'ai conservé mon propre nom.

(Non, mais des fois, en vieillissant, on perd ses idéologies et une simple blague peut devenir la réalité du futur, ce qui ne serait pas cool.)

22 h 52

Des fois, je trouve RÉELLEMENT que mon cerveau n'a rien à faire.

23 h 11

Cher 11 h 11 du soir, s'il vous plaît, faites qu'Emmerick et moi on s'embrasse.

23 h 12

J'attends toujours...

23 h 13

Cher 11 h 11, honnêtement, je ne vous trouve pas vite, vite. Je sais que le temps n'est pas tout à fait pareil dans le cosmos, que notre espace temporel est probablement différent et tout, mais il me semble que, dans les dernières années, je n'ai pas été une cliente trop exigeante, et ce serait le fun si je pouvais, disons, être récompensée pour ça.

23 h 14

J'attends toujours...

23 h 16

J'attends toujours... (Mais il y a une légère évolution, car à cause de la façon dont nous sommes assis, le bras d'Emmerick frôle le mien.)

23 h 19

OK, 11 h 11, je comprends votre message. Ce n'est pas parce que j'ai rencontré mon âme

*sœur cosmique que je dois bousculer les choses.
Je dois prendre mon temps et tout et tout. D'accord. J'ai compris le message. C'est correct. Je
vais prendre mon temps, laisser les choses aller
et essayer de saisir toutes ces choses que vous
semblez vouloir que je comprenne par votre,
disons-le, inaction.*

23 h 24

À moins que le 11 h 11 du soir soit 23 h 23 ?
Je suis toute mêlée. Ai-je formulé mon vœu à la
bonne heure ? Si ce n'est pas le cas, je viens de le
manquer d'une minute ! Oh non !!!!!

23 h 25

Avant de rentrer, je prends une grande
bouffée d'air. Ça sent bon ici. Le lac dégage une
petite odeur d'algues. Près du lac, il y a des
sapins (ou des épinettes, honnêtement, mes
connaissances en horticulture sont extrêmement limitées). Le bois vieilli du quai ajoute
aussi à, disons, l'ambiance olfactive.

Je ne me souviens pas du tout pourquoi je
détestais le camping. C'était quoi l'idée ?

Mardi 10 juillet

Oh mon Dieu ! Je viens exactement de
me souvenir pourquoi je n'aimais pas le
camping !

Ça m'est revenu en mémoire aujourd'hui. Un total traumatisme d'enfance!

Ce n'est pas à cause de la douche publique (qui est lavée une fois toutes les années bissextiles, on dirait), ni à cause de la proximité des roulottes, ni à cause de la salubrité douteuse de la piscine ou encore du nombre considérable d'insectes qu'on peut rencontrer en une seule journée, mais à cause de la minuscule toilette de la roulotte de mes grands-parents!

Je m'en suis souvenu ce matin. Mon grand-père venait d'aller aux toilettes et ça puait. Ma grand-mère m'a alors suggéré d'aller dans le bois. Alors, j'ai décidé d'aller dans le bois. Et ça m'a rappelé un souvenir atroce!!!

Juillet ou août (en tout cas, période estivale), il y a quelques années

Je devais avoir sept ou huit ans. Il s'était passé exactement la même chose pour la toilette. Je suis allée dans le bois, et au moment où j'étais accroupie derrière un buisson (mais j'ai vite réalisé que, dans le bois, «derrière un buisson» peut rapidement devenir «devant un buisson», selon l'endroit d'où tu arrives), une famille est passée juste devant moi. Un père, une mère et leurs trois enfants. Évidemment, ils ont eu un choc en me voyant accroupie comme ça. De mon côté, je ne pouvais rien faire d'autre que de rester accroupie ainsi, car je n'avais aucun endroit où me cacher, où sauter, j'avais *déjà* été aperçue! La mère a dit (ça me revient avec un tel sentiment de honte):

– Continuez. Ce que la petite fille fait est naturel.

Et ils ont continué, mais un des enfants n'arrêtait pas de se retourner pour m'observer.

Oh mon Dieu! J'espère que cette famille n'est pas au camping! J'espère que ce n'était pas Emmerick!!! Non, il me semble que tous les enfants étaient plus jeunes que moi. Fiou. Mais argghhhh! Quelle honte!!!!!!

Retour à aujourd'hui, 8 h 42 (Je ne peux me lever plus tard que ça puisque mon lit est aussi la table de la cuisine et que mes grands-parents se lèvent tôt pour déjeuner.)

Aller dans le bois n'est finalement pas une option.

8 h 43

AHHHHHH!!!!!

J'étais aux toilettes (en me bouchant le nez) quand j'ai senti que la porte s'ouvrait, et j'ai vu les jambes de mon grand-père. J'ai donc crié (de peur, mais aussi pour signifier ma présence) en agrippant la porte et en la tenant fermement. Ma grand-mère s'est écriée :

– Qu'est-ce qui se passe ?!?!!!

Mon grand-père a balbutié une réponse et j'ai crié :

– Je suis iciiiiii!!!

Ma grand-mère : Attention, fille! Ton grand-père est cardiaque, ce n'est pas bon du tout pour sa pression. Es-tu correct?

Moi : Ben oui, mais t'sais!!! Je n'ai pas d'intimité!

Ma grand-mère : Je parlais à ton grand-père, il est bleu.

Oh non! Mon grand-père va-t-il faire une crise cardiaque à cause de moi?

Je sors de la minuscule toilette et mon grand-père dit :

– Tu m'as fait peur, c'est effrayant. Peux-tu me donner ma casquette, je l'ai oubliée au coin.

« Le coin », c'est comme ça que mon grand-père appelle sa salle de toilette, ce qui décrit assez bien cet espace exigu.

J'ouvre la porte, aperçois sa casquette et la lui tends.

Moi : Je m'excuse. Vas-tu faire une crise cardiaque à cause de moi?

Mon grand-père : Non, mais... fais-moi plus des peurs de même!

9 h 21

On a élaboré un système pour bien verrouiller la porte, pour plus d'intimité. Et on a fini par rire de cet épisode qu'on a surnommé « la fois où j'ai failli tuer mon grand-père ».

10 h 43

J'ai croisé Emmerick en me promenant (et en espérant le croiser) et je lui ai parlé de mon désir de lire mes courriels. Il m'a conduite à la maison où j'espionnais l'autre jour en me disant que l'ordinateur était disponible pour les campeurs. (Avoir su!)

11 h 21

Ahhhhhhhhh! Soupir de sooouuulaaaa-geeeemeeeeent! J'ai lu tous mes courriels! (Et ce, malgré la lenteur exaspérante de la connexion.) Au moins une douzaine de Kat qui commençait à penser que j'étais morte (franchement, quelle exagération!), trois de Tommy (dont un qui disait: « Dans certains pays, c'est considéré comme très impoli de ne pas répondre après que quelqu'un vous a envoyé un million de messages ») et un de ma mère qui s'ennuie et qui me parle de (?!) notre pommier (rapport?).

11 h 35

> **À:** Katryne Demers
> **De:** Aurélie Laflamme
> **Objet:** Je suis vivante!!!
>
> Allô!
>
> Je suis vivante, mais je fais un genre de « retour à la terre ». J'ai décidé de rester avec mes grands-parents Charbonneau au camping.
>
> Honnêtement, je comprends ce que tu as pu vivre en autosuffisance dans le bois (sans la

partie du cheval, par contre) parce qu'ici, c'est vraiment la survie avec le strict minimum.

J'ai rencontré une gang cool.

Et tu sais pas quoi??? J'ai comme rencontré mon âme sœur cosmique! Il faudra vraiment que tu le voies, il est le sosie de Robert Pattinson (dans le noir)!

En tout cas, je te laisse, la connexion est hyper lente (exemple, je ne peux pas regarder des vidéos sur YouTube, ça prend dix ans à télécharger). Comme je te le disais: survie extrême.

À+

Au

xxx

11 h 37

À: France Charbonneau; François Blais
De: Aurélie Laflamme
Objet: Tout va bien!

Salut maman! Salut François!

Tout va super bien!

Je me fais des amis et je ris avec mes grands-parents.

Demain, on s'en va cueillir des fraises. Au début, ça ne me tentait pas trop, mais grand-maman a comme dit que ça lui briserait le cœur que je n'y aille pas, alors je n'ai pas vraiment le choix, même si c'est du total chantage émotif. Mais en même temps, je me suis dit que ça répondait à ma nouvelle passion pour l'aventure et l'inconnu.

Je suis bien contente d'avoir des nouvelles du pommier. Quand j'ai lu votre message, je pensais justement à lui.

Est-ce que Sybil va bien???

Aurélie

xxx

P.-S.: Pendant mon absence, avez-vous remarqué des phénomènes étranges dans la maison? N'importe quoi qui pourrait sembler «anormal»? Surtout dans la salle de lavage?

P.P.-S.: @ Maman: Savais-tu ça que grand-papa était vraiment réputé pour ses *grilled-cheese*? En tout cas, c'est la rumeur qui court ici. Biz, hein?

11 h 41

À: Tommy Durocher
De: Aurélie Laflamme
Objet: Re: Où es-tu Laf???

Relaxe, face de pet!

Sérieux, je suis au camping de mes grands-parents. Je sais ce que tu dois te dire: Aurélie au camping?! Mais oui! Et je m'adapte très bien, tu sauras! Et je me fais plein d'amis! Ça t'apprendra à partir à l'autre bout du monde chaque été!

Bref, si je ne te parle pas pendant un petit bout, c'est que la connexion est vraiment mauvaise ici. (J'ai d'ailleurs ajouté cette phrase parce que j'ai tenté cinq fois de t'envoyer mon message sans succès.)

À+

Au

xxx

Mercredi 11 juillet

Mes grands-parents et moi sommes allés cueillir des fraises. (Au début, je dois avouer que je pensais que cette activité allait être total nulle, mais finalement, c'était vraiment tripant, surtout parce que j'en ai mangé en quantité in-dus-tri-elle !) Ma grand-mère m'a dit qu'on ferait plein de recettes avec nos fraises et j'ai vraiment hâte ! (Je ne sais pas si c'est l'air de la campagne, mais on dirait que faire des confitures me semble être une activité top palpitante...)

12 h 31

Mon grand-père est dehors, au barbecue, et il tourne ses (fameux) *grilled-cheese* pendant que ma grand-mère et moi équeutons les fraises (j'en mange une sur deux, ce qui fait rire ma grand-mère qui croit que je vais en faire une indigestion).

Ma grand-mère : Aurélie, arrête d'en manger, on ne pourra pas faire nos confitures ! Et j'aimerais ça faire des tartes aussi !

Moi (la bouche pleine) : Shont tchellemhent bhonnes !

Ça sent la fumée de barbecue, et ma grand-mère ouvre la fenêtre et crie à mon grand-père de baisser son feu avant que les pompiers arrivent.

Mon grand-père : Laisse-moi faire ! Je sais ce que je fais !

Ma grand-mère (en refermant la fenêtre et en se tournant vers moi tout en continuant à équeuter les fraises) : La dernière fois que ça sentait le gaz comme ça, nos voisins ont appelé les pompiers parce qu'ils ont cru à une fuite de gaz. Gang d'imbéciles !

Moi : Les pompiers ?

Ma grand-mère : Non, ces voisins-là. Cette année, ils sont dans un autre camping et je vais te dire quelque chose : tant mieux pour nous ! Arrête de manger des fraises !

Moi : Ça te dérange si je prends une petite pause pour voir comment grand-papa fait ses *grilled-cheese* ? Il paraît que c'est un genre de légende.

Ma grand-mère rit en me disant qu'il lui restera plus de fraises comme ça.

Je sors de la roulotte et je vais voir mon grand-père. Il semble très attentif à sa tâche. Je le regarde faire.

Moi : Paraît que tes *grilled-cheese* sont comme légendaires.

Mon grand-père : Ça c'est vrai. Mon truc, c'est que je mets le feu très bas, contrairement à ce que peut penser ta grand-mère.

Il se penche vers moi et me dit tout bas :

– Mon truc, c'est que je mets deux tranches de fromage. Ça, ç'a beaucoup aidé à ma réputation. Mais grand-maman pense que je mets trop de fromage. Aussi, je peux couper les croûtes sur demande. Ça, ça dépend vraiment du goût de chacun. Veux-tu que je t'enlève tes croûtes?

Moi : Non, c'est correct, je vais garder mes croûtes.

Mon grand-père : C'est bien, ça.

Moi (un peu honteuse) : J'ai travaillé dans un resto de sandwiches et je me suis fait mettre à la porte...

Mon grand-père : Tu étais trop bien pour eux!

Je ris et j'enlace la taille de mon grand-père pendant qu'il retourne un *grilled-cheese* et je lui dis :

– C'est vrai que t'es cool, grand-papa.

Ma grand-mère arrive par-derrière et dit :

– Pis moi?

Moi : Toi, tu fais pas d'aussi bons *grilled-cheese*!

Ma grand-mère : M'as t'en faire, moi!

Et elle me lance des queues de fraises pendant que je me sauve en riant et que mon grand-père nous dit de faire attention à ses « œuvres d'art ».

12 h 43

Valérie arrive, accompagnée de Damien, et demande :

– Est-ce que je pourrais avoir un *grilled-cheese*, monsieur Charbonneau?

Mon grand-père leur en donne chacun un en me faisant un clin d'œil.

Valérie (vers moi) : Hé, Aurélie, on fait une partie de Marco Polo à la piscine cet après-midi, ça te tente de venir ?

Moi : Oh, non... je fais des confitures avec ma grand-mère.

Damien : On se voit au quai ce soir, d'abord ?

Moi : OK.

Raison (top secrète) de mon refus n° 1 : Je suis extrêmement gênée de me montrer en maillot de bain devant des gens.

Raison (top secrète) de mon refus n° 2 : Je suis extrêmement gênée de jouer à Marco Polo. Je me sens niaiseuse quand je crie Marco et/ou Polo. Ça n'aidera pas ma vie sociale ici.

22 h 34

Je suis dans mon minuscule lit/table de cuisine et je n'arrive pas vraiment à dormir. Je pense un peu à Emmerick.

Note à moi-même : J'aime parler des étoiles lorsque ce n'est pas le seul sujet de conversation de la soirée.

Note à moi-même n° 2 : Sauf si cette conversation est tenue par une personne figurant sur cette liste.

Liste des personnes pouvant me parler d'étoiles à l'infini :
• Emmerick Blouin ;
• ...
• (liste non complète à ce jour).

Vendredi 13 juillet

Ma grand-mère et moi avons fait des confitures toute la journée hier ! Elles sont VRAIMENT bonnes ! Elle voulait en donner en cadeau aux voisins, mais je ne vois pas c'est quoi le but de faire quelque chose d'aussi bon si c'est pour le donner (?).

Note à moi-même : Travailler mon sens du partage.

On a quand même bricolé des petits pots et on est allées les distribuer. Ç'a rendu plusieurs personnes heureuses, ce qui a fait dire à ma grand-mère :
– Hein, il n'y a pas qu'avec les *grilled-cheese* que les Charbonneau peuvent être légendaires.

22 h 12
Ce soir, un film d'horreur est présenté au cinéma extérieur du camping. Tous les campeurs ou presque sont là. Mes grands-parents ont apporté un gros sac de popcorn. Nous sommes arrivés tôt pour avoir de bonnes places.

22 h 45
Toute la gang d'Emmerick est assise derrière. Je ne les ai pas vus arriver, car nous sommes assis au centre et, pendant le film, ils m'ont invitée à me joindre à eux, ce que j'ai fait en prenant une poignée de popcorn.

22 h 50

J'ai vraiment peur des films d'horreur. Je n'aime pas du tout en regarder. Lors d'une scène particulièrement effrayante, j'ai décidé d'aller prendre un peu l'air. (Bon, j'étais déjà dehors, alors techniquement, je prenais déjà l'air, mais je voulais seulement ne plus voir le film.) Je suis allée sur le quai et j'ai commencé à écouter de la musique sur mon iPod tout en regardant l'horizon.

22 h 51

Je regarde le ciel. C'est vraiment beau. Il est bleu marine très foncé, quelques nuages entourent la lune en forme de croissant et on voit quelques étoiles. J'ai mis ma musique à un volume très faible et j'entends l'eau du lac. C'est vraiment calme. Ça fait « clouh-clouh » une fois de temps en temps. Et on entend aussi le quai qui grince. J'aime ça, être ici. Mais je m'ennuie un peu de Sybil. Et de ma mère. Et peut-être même un peu de François. Je me demande ce qu'ils font ce soir. Je me demande si je peux les appeler d'ici.

23 h 01

– Hé, t'aimes pas le film ?

Je me retourne. C'est Emmerick.

Moi : Oh, euh... je l'ai déjà vu.

Valérie arrive derrière, suivie de Benoît qui tient un sac de chips.

Valérie : Chaque année, c'est le même film d'horreur !

Benoît : Ben non, l'année passée, c'était pas lui.

Valérie : Ben oui !

Benoît : Oh, on s'engueule pas, Pouh, OK ?

Emmerick prend mon iPod, regarde ce qu'il y a dedans et il dit :

— Hé ! Tu as la musique du film *Ratatouille* ! T'aimes ça ?

Moi : Peh ! Non, vraiment pas ! J'sais pas comment c'est arrivé là. C'est l'ordinateur de ma mère...

Emmerick : Ah... moi, j'ai tripé sur le film. Ils l'ont présenté l'an passé. On a tripé. Hein, gang ? *Ratatouille* ?

Valérie : Quoi *Ratatouille* ?

Emmerick : Le film. C'était bon.

Valérie : Bof...

Benoît : T'as aimé ça, Pouh !

Emmerick : Moi, j'ai trouvé ça pas pire.

Moi : Ah, ben euh... moi aussi.

Emmerick : Mais tu viens de dire que non.

Moi : Oui, je, euh... te testais. Bravo ! Tu as passé le test.

Je lui prends mon iPod des mains et je le remets dans ma poche.

Note à moi-même : Abandonner l'idée que mon cerveau pourrait un jour être mon complice.

23 h 34

Damien arrive et demande à tout le monde pourquoi ils ne sont pas restés, et affirme que le film était « trop malade ».

Je ne sais pas trop comment dire ça, je m'entends bien avec tout le monde, mais Damien m'énerve. Il n'arrête pas de faire des blagues vraiment ordinaires qui rendent tout le monde mal à l'aise et il a vraiment mauvaise haleine. En plus, il crache toujours et, avant de le faire, il fait un bruit vraiment horrible où on dirait qu'il rassemble dans sa gorge le plus de mucus possible. C'est absolument et atrocement et horriblement dégueulasse. J'essaie de rester loin de lui le plus possible parce qu'il y a quelques minutes, j'ai failli recevoir un de ses crachats sur le mollet. J'en ai presque eu la nausée.

23 h 54
Mes grands-parents trouvent que je rentre un peu trop tard. J'ai prétexté ne pas avoir vu le temps passer étant donné que je suis un peu trop calme à cause du grand air et que je suis sevrée de la technologie, donc d'appareils telle une montre. Ils ont trouvé ça très logique. (Fiou.) M'ont demandé d'arriver plus tôt, la prochaine fois. Pas plus tard que 23 h 30.

23 h 55
Suivi avec Emmerick (dans mes rêves): Il aurait pris mon iPod dans mes poches pendant que je le rangeais, voulant voir si j'avais la musique d'un groupe X qu'il adore. Nos mains se seraient frôlées. On se serait regardés et nos bouches auraient été attirées l'une vers l'autre, comme malgré nous. Et nous aurions commencé à sortir ensemble et là, quelques jours plus tard, il m'aurait annoncé qu'il est en réalité un vampire et qu'il ne veut pas me transformer en vampire et...

Suivi avec Emmerick (dans la vraie vie): Rien. Zéro. *Niet*. Néant. (Peut-être qu'il est *vraiment* un vampire et qu'il ne veut *vraiment* pas me faire du mal ? Hum... Tout est possible. Après tout, il ressemble à Robert Pattinson/Edward Cullen dans le noir.)

Suivi avec Emmerick (paranoïé) : On dirait carrément que je suis transparente pour lui. Que je n'existe tout simplement pas. Je trouve qu'il est lent à réaliser que nous sommes des âmes sœurs cosmiques.

Samedi 14 juillet

Ma mère est arrivée ce matin, avec François et Sybil !!!!!!! (Ils lui ont acheté un harnais et on pourra l'attacher pour éviter qu'elle se sauve.) Elle m'a expliqué que, puisque c'était ma fête cette semaine, il était hors de question qu'elle manque ça. Déjà qu'elle était en France l'année dernière, elle ne voulait pas être absente cette année.

En plus, ils ont reçu mon bulletin par la poste et elle n'a pu s'empêcher d'ouvrir la lettre et elle était tellement contente de mes résultats qu'elle ne tenait plus en place dans la maison. (J'avoue que je suis surprise moi-même des résultats. Je devais avoir les neurones en feu lors des examens ou je ne sais pas quoi.)

Ils ont emprunté la roulotte d'un ami de François et ont pris deux semaines de vacances.

Comme elle est plus grande, j'aurai un meilleur lit. J'ai donc déménagé de la roulotte de mes grands-parents à celle de ma mère. (Ma grand-mère pleurait, ce qui est un peu exagéré puisqu'on est à cinq mètres d'eux.)

Ma mère m'a raconté qu'ils avaient tout placé dans la maison et qu'ils avaient besoin de vacances et que j'avais eu une bonne idée en restant ici. C'est pour ça qu'ils ont décidé de m'imiter.

Honnêtement, j'étais VRAIMENT contente!

Dimanche 15 juillet

Il a plu toute la fin de semaine.

On a joué à des jeux de société en écoutant le clapotis des gouttes d'eau sur la fenêtre.

Ma mère m'a dit qu'on aurait dû déménager dans un camping, car elle trouve que je suis plus «à l'ordre» (c'est vraiment ce qu'elle a dit) ici.

Je lui ai dit que c'était logique: c'est plus petit et on a moins de choses. (Tsss!)

Ma mère a le don de lancer des commentaires étranges des fois!

(Je n'ai pas osé lui dire que c'était aussi le résultat d'une vie sociale ralentie.)

Mardi 17 juillet

C'est ma fête! C'est ma fête! C'est ma fêteeeeeeeeeee!!!!!!!!

Bonne fête moi-même, bonne fête moi-même, bonne fête, bonne fête, bonne fête moi-mêmeeeeeeee!

Il fait super beau en plus! Gros soleil et tout!

On a déjeuné avec mes grands-parents et ma mère a donné de la crème glacée à Sybil parce que c'était une journée spéciale.

Emmerick, Benoît, Valérie et Damien m'ont invitée à faire du vélo avec eux aujourd'hui. Je leur ai expliqué que, malheureusement, je n'avais pas de vélo, et François a sorti un super vélo de sa cachette: mon cadeau de fête. Au début, j'étais un peu surprise que ce soit mon cadeau de seizième anniversaire parce que je ne suis pas vraiment sportive. J'ai déjà eu un vélo, mais comme j'avais arrêté d'en faire, j'avais proposé à ma mère qu'on le vende lors de la dernière vente de garage. (Honnêtement, j'étais contente de m'en débarrasser, car il était vraiment laid!)

François: Tu vas pouvoir aller à l'école à vélo. Ou chez Tommy. Ou chez Kat.

Hon... il a pensé à ça. Trop *cute*.

Il a raison. Ce sera super pratique. Et il est vraiment beau. Tout-terrain, noir et violet. Vraiment mon style (si tant est que j'en aie un, bicyclettement parlant).

Je suis donc partie avec eux, et ma mère nous a demandé de revenir à temps pour le dîner.

11 h 54

Nous sommes sur le chemin du retour et je suis essoufflée. On a monté et descendu des collines, sur des sentiers de la montagne à proximité du camping. Je les suivais à une certaine distance, toujours un peu à bout de souffle. Je ne suis vraiment pas en forme... Surtout qu'à cause de toute la pluie qui est tombée, plusieurs sentiers étaient très boueux et faisaient déraper nos vélos. J'ai souvent eu l'idée de rebrousser chemin (ce n'est pas du tout le genre de journée de fête à laquelle je m'attendais), mais toute la gang me suppliait de rester en me promettant qu'on allait prendre des routes plus faciles. Je suis donc restée.

11 h 56

Arrivés près du terrain de camping, tout le monde a arrêté son vélo et Valérie m'a bandé les yeux en m'expliquant qu'ils avaient une surprise pour moi, ce qui m'a inquiétée.

Damien a pris mon vélo, Emmerick a pris celui de Val et celle-ci m'a prise par le bras pour me diriger.

11 h 59

Arrivés quelque part (je ne peux dire où car mes yeux étaient bandés, mais ça sentait le barbecue), ils m'ont fait tourner trois fois sur moi-même, toujours les yeux bandés, puis ils m'ont enlevé le bandeau et j'ai entendu plein de gens crier :

– SURPRISE!!!!!!!!!!

Comme j'étais étourdie, je n'ai pas réalisé ce qui se passait tout de suite. Puis, peu à peu, j'ai vu ma mère et François (j'ai remarqué que ma mère avait les larmes aux yeux, j'ai trouvé ça étrange puisque c'est *ma* surprise), ma tante Loulou, mon oncle Claude et mon cousin William, puis j'ai aperçu Tommy (hein!!!), puis Kat (hein!!!), avec ses parents, Julyanne et Lady (qui a grandi). Et ma grand-mère Laflamme (hein!!!). J'ai couru vers elle et je lui ai sauté dans les bras et j'ai senti des larmes me monter aux yeux.

Ma grand-mère Laflamme : T'es contente, ma belle fille?

Moi : Ouiiiiii!

Puis, je l'ai lâchée et je suis allée serrer Kat en disant :

– T'es pas au camp?

Kat : J'y retourne tantôt. Ta mère a appelé mes parents et ils ont accepté que je parte quelques heures. Je m'ennuyais trop de toi! Et vu que le camp finit à la fin de la semaine, c'était correct. C'était ta fête, je ne pouvais pas manquer ça!

Moi (en lui sautant au cou) : Ohhhhh! T'es ma meilleure amie du monde entier!!!!!!

J'arrive près de Tommy et il me supplie de ne pas lui sauter au cou devant les gens.

Moi : Mais... tu n'es pas chez ta mère?

Tommy : Quand ta mère m'a dit qu'elle voulait te faire une surprise, je suis revenu tout de suite. Je voulais voir ça : Laf dans un camping!

Moi : Hahahaha! Longue histoire.

Tommy : J'imagine.

Moi : Est-ce que tu repars aujourd'hui?

Tommy : Ta mère a accepté que je reste. J'ai ma tente que je vais planter sur votre terrain.

Je me suis dirigée vers ma mère et je lui ai sauté au cou. Je lui ai chuchoté vraiment tout bas que je l'aime et elle a dit :

– T'es contente, ma belle ?

Moi : Oui, trop ! ! ! ! C'est la plus belle fête de ma vie ! ! ! ! ! ! ! ! ! ! ! ! ! !

12 h 05

Tommy a commencé à jouer *Bonne fête* à la guitare et tout le monde a chanté. J'étais vraiment émue (mais j'ai tout fait pour contenir mon émotion et faire comme si c'était vraiment une journée comme les autres).

13 h 47

Mon grand-père a fait des *grilled-cheese* pour tout le monde, des hot-dogs, des hamburgers. Puis, ma grand-mère a apporté un super gâteau avec le visage de Robert Pattinson imprimé dessus (ce qui m'a un peu gênée, je l'avoue, devant tous les invités – surtout Emmerick –, je n'ai pas osé exprimer ma grande joie de pouvoir croquer dans Edward Cullen en crémage). Ma mère me regardait, attendant ma réaction, comme si elle était vraiment contente de son idée. J'ai tenté de rester calme devant les gens, mais je lui ai envoyé un message télépathique comme quoi c'était une excellente idée. (Je ne crois pas qu'elle l'ait capté, par contre, car elle n'arrêtait pas de répéter : « Tu as vu, c'est un gâteau de ton acteur de *Twilight* ? », comme si je ne l'avais pas remarqué. Ce n'est pas parce que son visage est fait en crémage que je ne le reconnais pas ! C'est juste un peu gênant devant d'autres êtres humains d'avoir l'air de m'extasier devant un gâteau.) Après avoir mangé le dessert, j'ai eu plein de cadeaux. Kat m'a donné un t-shirt cool, Tommy m'a donné un CD de ses compositions, ma grand-mère Laflamme m'a donné une boîte de chocolats fins (je lui ai dit que je ne lui donnerais pas de cigarettes et on a ri) et nous a également annoncé qu'elle aimerait participer à l'achat de ma robe de bal pour l'an prochain (j'ai trouvé ça super trop gentil et ma mère aussi), et mes grands-parents Charbonneau et ma mère m'ont donné un cours de conduite. (Tommy était vraiment jaloux, mais, pour ma part, j'étais un peu perplexe de ce cadeau, car conduire me stresse un peu... Mais bon, j'ai feint l'enthousiasme. De toute façon, lorsque je saurai conduire, je serai contente, alors, disons que c'est un enthousiasme anticipé.)

Mes amis du camping ont fraternisé avec mes amis de la ville et ils se sont tous bien entendus. Nous nous dirigeons vers le lac pour aller nous baigner. (Vu que mes amis sont là et que je n'ai pas besoin de crier « Marco Polo », je suis un peu moins gênée d'être en maillot de bain.)

14 h 56

Quand Kat m'a dit qu'elle était hyper déprimée de finir son camp d'équitation dans quelques jours et qu'elle ne savait pas trop ce qu'elle allait faire pendant que je serais ici, on a eu une idée MALADE ! Puisque Tommy va rester ici, pourquoi pas Kat ? On est allées voir ma mère et les parents de Kat et on leur a fait part de notre idée, que Kat vienne passer le reste des vacances avec nous après son camp. On joignait nos mains en disant en chœur :

– S'il vous plaît, s'il vous plaît, s'il vous plaît, s'il vous plaît, s'il vous plaît !!!

Et ils ont dit ouiiiiiiiiiiiiiiii !

Alors on est entrées dans la roulotte et on a fait des plans : on va dormir ensemble dans mon mini-lit, mais chacune dans son sac de couchage, Kat à droite, moi à gauche, on va faire semblant de dormir quand ma mère et François vont se lever et on va écouter leur conversation en cachette, etc., etc., etc. Waou-hhhhhhh !!!!!!!! On va avoir trop de fun !!!

16 h 32

Je patauge dans le lac près du quai. Tommy est sorti de l'eau depuis quelques minutes et joue avec Lady pendant que Julyanne parle avec Valérie, Benoît et Zachary, le frère d'Emmerick, et d'autres de la gang des plus jeunes que je ne connais pas. Kat a pris une nouille flottante et s'est appuyé la tête dessus pour se faire bronzer. Emmerick a décidé de traverser le lac à la nage et il se fait accompagner par Damien qui le suit en kayak. Ils sont sur le chemin du retour. Emmerick ne semble pas fatigué.

Quelle belle journée ! Elle ne pourrait pas être plus parfaite !

16 h 33

Je pense à sortir de l'eau et je m'approche du quai. Je remarque un graffiti qui n'avait pas attiré mon attention auparavant. Ça semble être gravé dans le bois. C'est un long rectangle. On dirait que ça représente une araignée, mais c'est dur à dire. C'est assez long et le dessin est mal fait. Je m'approche davantage pour voir le détail.

OH MON DIEU!!!!!!!!!! Ce n'est pas une gravure, C'EST une araignée. ÉNOOOOORME! Je sais que, par le passé, il m'est arrivé de dire que j'avais vu la plus grosse araignée de ma vie, mais ce n'était RIEN comparé à celle-ci!

Je recule. Je recule. Je recule. Je voudrais me sauver. Mes pieds ne touchent pas le fond. Je ne sens plus mes jambes.

Je m'enfonce dans l'eau.

J'avale un peu d'eau.

Je remonte à la surface. Je suis incapable de parler. Je suis incapable de reprendre mon souffle. J'avale de l'eau.

Lady s'approche de l'eau et jappe.

Tommy se lève sur le quai et me crie:

– Qu'est-ce qui se passe, Laf?

Je voudrais crier, mais aucun son ne sort de ma bouche et chaque fois que j'essaie de parler, j'avale de l'eau.

16 h 35

Je suis en crise de panique. Et tout ce que je vois, c'est l'araignée géante, poilue, sur le bord du quai. Et je me demande comment je vais faire pour sortir de l'eau sans la toucher. Je n'arrête pas de penser que tout à l'heure, je me suis assise sur le quai et que j'ai mis mes pieds dans l'eau à cet endroit précis. Était-elle là? Mon Dieu! Est-ce que c'est une araignée aquatique? Est-ce que d'autres araignées comme ça pourraient se trouver autour de moi?

Je tente de reprendre mon souffle en regardant autour de moi. J'en suis incapable. Je suffoque.

Emmerick s'approche de moi et me tient la tête hors de l'eau tout en me tirant vers le quai. Mais mes jambes battent l'eau en signe de protestation.

Tommy tend les bras pour me tirer hors de l'eau pendant qu'Emmerick me pousse. Mais je me débats pour ne pas toucher au quai. Je suis à quelques centimètres du monstre.

Tommy : Qu'est-ce qui se passe, Laf ?

Kat s'approche et dit :

– *Oh my God ! Oh My God !* Regardez ! Emmenez-la de l'autre côté du quai. Au a vraiment peur des araignées ! Et regardez comme elle est grosse ! ! ! !

Emmerick m'emmène vers un autre coin du quai et Tommy m'extirpe hors de l'eau.

Je suis incapable de reprendre mon souffle. Je ne fais qu'avaler l'air.

Tommy (en me frottant le dos) : Respire, respire.

Kat (en me frottant le dos aussi) : Es-tu correcte ? ? ?

Emmerick : Ça fait des semaines qu'elle est là, cette araignée-là, on l'a appelée Jasmine.

Kat : Elle est vraiment grosse !

Emmerick : C'est une araignée de quai.

Tommy : Respire, respire.

Emmerick : Elle a vraiment peur des araignées à ce point-là ?

Kat : Ben oui ! Toi, t'as peur de rien, peut-être ?

Emmerick : Des airs bêtes comme certaines filles, peut-être ?

Je parviens à respirer normalement. J'ai honte.

Moi (avec une voix rauque quasi inaudible) : Excusez... J'ai... capoté, je pense...

Tommy : D'habitude, je te juge, mais là, elle était vraiment grosse.

Moi : Merci...

Note à moi-même : Proscrire toute activité où il y a un quai. M'en souvenir.

22 h 35

Quelle journée éprouvante !

Kat vient tout juste de partir et m'a dit qu'on se reverrait en fin de semaine. Ce qui m'a remplie de joie.

Je me dirige avec mon oreiller vers la roulotte de mes grands-parents Charbonneau, car ma grand-mère Laflamme a pris mon lit dans la roulotte de ma mère. Ce n'est que temporaire puisqu'elle repart demain. Sur le chemin, je croise Emmerick qui me dit :

— Hé ! Bonne fête encore !

Ce qui me fait un peu sursauter puisque j'étais dans mes pensées. (Et j'avoue que j'ai un peu les nerfs à vif.)

Moi : Ah, euh... merci. Désolée... pour tantôt au lac. Je me sens mal.

Lui : Ben non, on a tous eu l'air fou au moins une fois dans sa vie.

Façon de voir les choses... Pour une âme sœur cosmique, je le trouve très peu empathique (mais bon, quand même beau).

Lui (qui continue) : Sont cool, tes amis. Est-ce que Kat va revenir ?

Moi : Oui, en fin de semaine.

Lui : Je me sens mal de te demander ça, mais... penses-tu que je suis son genre ?

22 h 36

Impression de tomber de dix étages.

22 h 37

Abandon du projet « répondre quelque chose d'intelligent ».

22 h 37 (et 20 secondes)

Je ne réagis que par un hochement de tête et je continue mon chemin.

22 h 38

J'implore Dieu-Allah-Yahvé-Yoda-Frère André-Shiva-Bouddha-Elvis et 11 h 11 pour que tout ça ne soit qu'un rêve.

Vendredi 20 juillet

Je passe mes journées au lit. (Je crois que je suis peut-être tombée dans le coma après l'épisode « araignée », ce qui expliquerait bien des choses...)

De toute façon, il pleut, alors je n'ai rien de mieux à faire.

Tommy et moi regardons des films. Ou je lis des *Archie* pendant qu'il joue de la guitare.

Lorsqu'on est en choc post-traumatique (ce qui est mon cas à cause de cette histoire d'araignée), on préfère rester près des gens qui nous connaissent depuis longtemps.

Sauf peut-être de ma mère. Nous sommes un peu en froid. Car lorsqu'elle a appris que j'avais failli me noyer à cause d'une araignée, elle a pété sa coche solide. Elle a menacé (tel est bien le terme et ma façon de voir les choses) de m'envoyer en thérapie. Que ça n'avait pas d'allure de mettre sa vie en danger pour des (et je cite) « bibittes ». Ce à quoi ma grand-mère Charbonneau a ajouté : « Les petites bibittes ne mangent pas les grosses. » Ce à quoi j'ai répondu : « Les scorpions sont plus petits que les humains et leurs piqûres sont mortelles, neh ! » J'ai vraiment ajouté le « neh » comme preuve que mon argument était réellement en béton et que nul ne pouvait répliquer à ce que je disais. (Après tout, ma grand-mère n'est pas une référence puisque lorsque j'ai peur d'un film d'horreur, elle me dit : « C'est juste du ketchup ! » Non mais ! Elle n'est aucunement au fait de l'évolution des effets spéciaux ! Zéro crédibilité !) Puis, ma mère a dit qu'aucune piqûre d'araignée au Québec n'était mortelle. Après cet argument, j'ai voulu faire une recherche sur les araignées de quai pour prouver à ma mère qu'on courait un grave danger, mais en faisant mes recherches, je voyais plein de photos d'araignées et ça me piquait partout et j'avais l'impression que plein d'araignées étaient sur moi. À tel point que la dame qui s'occupe du camping et qui me laissait utiliser l'ordinateur m'a demandé (et je cite toujours) :

— As-tu des poux, ma belle ? Avec des cheveux longs comme ça, ça ne me surprendrait pas. Va peut-être falloir te raser.

J'ai quitté l'endroit en courant vers la roulotte de ma mère avec la certitude que j'avais des poux et en me secouant les cheveux de tous les côtés.

Et là, j'ai dit à ma grand-mère :

– Les poux se nourrissent de sang humain ! Et les sangsues aussi ! Donc, les petites bibittes PEUVENT manger les grosses !

Ma mère, très exaspérée, m'a dit que c'était assez. Alors, pour lui prouver que les phobies étaient incontrôlables, j'ai décidé de la confronter à sa phobie à elle : le bordel. J'ai donc sorti tous mes vêtements de mes valises et je les ai jetés partout dans la roulotte pour faire du désordre.

Quand ma mère a vu ça, elle a dit (et je cite encore une fois) :

– Je te trouve bien courageuse, tu n'as pas peur que ton araignée vienne dans la roulotte pondre ses œufs dans tes vêtements ?

Et je me suis retrouvée, dix minutes plus tard, à la buanderie, tous mes vêtements dans la laveuse.

J'ai emmené ma mère au quai pour lui montrer l'araignée, mais elle avait disparu (pas ma mère, l'araignée).

Ma mère m'a dit (et voilà une autre citation telle quelle) :

– Tu as seize ans, Aurélie. Va falloir que tu grandisses un peu.

Ce à quoi j'ai répondu (j'étais vraiment déçue de ma réplique après coup, mais je n'ai aucun contrôle sur le sens de la répartie qu'on m'a attribué à la naissance et qui, je l'ai toujours dit, est total défectueux) :

– Meh ! Je mesure déjà cinq pieds et sept pouces !

P.-S. : La taille et la maturité n'ont aucun rapport avec la peur des araignées. J'ai cherché sur Wikipédia et j'ai posé la question sur le forum de Doctissimo (personne n'a répondu, mais j'en suis certaine, même sans l'appui d'un professionnel de la santé).

Bilan de ma vie depuis que j'ai seize ans :

• quasi-perte de mon âme sœur cosmique (je laisse ouverte la possibilité que le fait qu'il ait « cru » qu'il s'intéressait à Kat était un obstacle sur notre route, mais qu'il sera bientôt frappé par un coup de foudre pour moi);
• expérience de presque noyade (donc quasi-mort) causée par une araignée géante maintenant introuvable (possiblement cachée dans mes vêtements);
• chicanes incessantes avec ma mère (possiblement causées par le fait que nous sommes collées l'une sur l'autre à la journée longue dans la minuscule roulotte et cela par ma faute puisque c'est ma merveilleuse idée – ce commentaire est bien sûr ironique – d'avoir décidé de rester ici);

• ma mère pense que je suis bizarroïde (je lui ai rappelé que j'étais un pur produit de *sa* génétique) ;

• je suis peut-être un peu bizarre... (le point précédent en est la preuve) ;

• élément positif n° 1 : Plusieurs personnes se sont déplacées pour ma fête (donc, je suis aimable, même si je suis bizarre) ;

• élément positif n° 2 : Avoir été capable de trouver un élément positif.

Samedi 21 juillet

Kat est arrivée.

Son père est venu la reconduire. Il est resté dans la voiture et elle en est sortie en faisant semblant de ne pas lui dire au revoir. (Ils ont un arrangement selon lequel elle lui dit au revoir avant d'arriver quelque part pour que personne ne la voie l'embrasser, car elle a peur que les gens la trouvent téteuse.)

13 h 16

On est allées placer ses choses dans ma mini-chambre, aidées par Tommy qui transportait sa valise qu'il trouvait trop lourde. (Elle a d'ailleurs apporté tellement de vêtements que ça ne rentre nulle part, elle a donc tout laissé dans sa valise.)

Elle est bien triste d'avoir terminé son camp d'équitation et s'ennuie un peu de Jean-Félix.

Ils se sont échangé quelques courriels et il paraît qu'il tripe en Allemagne. Il a annoncé à ses parents qu'il était gai et tout s'est bien passé, à ce qu'il paraît. Il dit qu'ils s'en doutaient depuis longtemps. Mais il paraît que son père a lancé : « En autant que tu ne sois pas polygame ! » Ce que Jean-Félix a trouvé assez nono. Mais bon, il est tellement content que ça se soit bien passé qu'il ne veut pas reprocher à son père d'avoir dit des niaiseries et qu'il préfère se concentrer sur le fait que ses parents le respectent. Il paraît qu'ils étaient bien déçus d'apprendre qu'il ne sortait plus avec Kat, car ils l'aimaient beaucoup. Ce qui a vraiment fait plaisir à Kat.

Et elle m'a dit :

– C'est fou, on dirait que tout ça s'est passé en un an et ça fait à peine deux mois !

On se trouvait bien philosophiques quand on a conclu que, plus on vieillit, plus le temps passe vite. (Sauf que Tommy a dit que selon ce qu'on venait de dire avant, « que tout avait l'air de s'être passé il y a un an », logiquement on devrait penser que le temps passe lentement. Et, évidemment, Kat et lui se sont engueulés. Je dois dire qu'il a raison. Mais je n'irais pas jusqu'à dire qu'il a une intelligence supérieure, comme il semblait exiger qu'on le fasse.)

Top secret (mais vraiment top secret) : Je suis contente que Kat soit arrivée, mais je ressens quand même au fond de moi un mini-faible désir qu'elle reparte vite pour que je puisse être seule avec Emmerick.

15 h 01

Tommy, Damien, Emmerick, Val, Benoît, Kat et moi sommes allés faire du vélo.

Benoît est en tête du peloton, vraiment en forme. Val lui crie des blagues pour le taquiner.

Derrière eux, Emmerick tente toujours d'attirer l'attention de Kat sur tel paysage ou tel arbre, ou de lui montrer telle partie du ciel où, le soir, on peut voir telle étoile. Puis, il n'arrête pas de faire des acrobaties avec son vélo, comme faire un saut par-dessus un tronc d'arbre sur la route ou rouler sur une seule roue, etc. Et, chaque fois qu'il fait un mouvement de ce genre, il regarde Kat pour voir sa réaction.

Ils sont devant moi et j'écoute leur conversation pendant que je pédale. Il lui pose plein de questions sur son camp d'équitation, lui dit qu'il y a une écurie pas loin du camping (ce qui a rendu Kat surexcitée), que ça ne coûte pas trop cher pour faire une heure d'équitation et qu'il aimerait bien en faire avec elle.

Plus j'écoute la conversation, plus je sens mon sang se glacer dans mes veines (et pourtant, il doit faire au moins quarante mille degrés Celsius, bon d'accord, Fahrenheit).

Je ralentis un peu la cadence pour écouter plutôt ce que disent Tommy et Val qui sont derrière moi, mais je suis toujours tentée de rattraper Emmerick et Kat, 1) parce que leur conversation est plus intéressante et 2) avouons-le, à cause de ma curiosité pour une conversation qui aurait dû être la mienne si ça n'avait pas été ma fête et que tout le monde n'était pas venu squatter MON camping !

Note à moi-même (pour mon moi futur) :
Si mon moi futur pouvait me dire si je me suis améliorée au niveau de la gestion de ma colère -intérieure-dont-moi-seule-suis-au-courant, ce serait super. (J'espère que la réponse est oui, surtout par rapport à cette situation, il serait vraiment déplorable que, disons, vingt ans plus tard, je sois encore enragée à cause de cette histoire.)

16 h 34

Après le vélo, nous sommes allés nous baigner à la piscine. Kat m'a demandé de lui lancer la crème solaire. Je me suis donc emparée du pot et je le lui ai lancé, mais, je ne sais pas pourquoi (le vent ?), le contenant de crème a dévié et percuté le torse d'Emmerick qui a crié « ouch ! » et s'est empressé de critiquer mes talents (inexistants) de lanceuse. Tommy lui a dit qu'avec la force que j'avais, il espérait qu'Emmerick avait crié de surprise plus que de douleur, et Emmerick, sûrement par orgueil, a ri et a dit : « Ouain, c'est ça. » J'ai par la suite remercié Tommy de m'avoir sortie de cette situation honteuse...

22 h 14

Au quai.

Tommy joue de la musique et a toute l'admiration de Valérie, ce qui, je crois, rend un peu Benoît jaloux, mais il le cache bien (je suis simplement une fine observatrice). D'ailleurs, j'ai fait remarquer à Tommy l'autre jour que Val semblait le trouver pas mal *cute* et il m'a dit qu'il croyait que j'avais un talent inné pour m'inventer des histoires (je n'ai évidemment rien trouvé à répliquer, sauf «Toi-même!», ce qui n'était pas très approprié). Un gars de la gang des plus jeunes, Julien Pagé, a apporté lui aussi une guitare et *jamme* avec Tommy.

Emmerick et Kat sont au télescope et Emmerick lui montre les étoiles en faisant les mêmes jokes que je l'ai entendu faire à maintes reprises. Il est clair que ce gars n'aurait jamais été bon pour moi parce que 1) je n'aime pas les gens qui se répètent et 2) je n'ai plus aucun intérêt pour les gens qui sont le sosie de quelqu'un dans le noir, c'est la pire catégorie de sosies et, tant qu'à sortir avec un sosie, je préférerais que ce soit un sosie plus ressemblant à la clarté, et 3) la première raison compte pour deux parce que se répéter est franchement un défaut ennuyant.

22 h 31

Kat et moi sommes allées aux toilettes. En sortant, j'ai vu qu'elle avait du papier de toilette collé à son espadrille. Je n'ai rien dit.

22 h 31 (et 15 secondes)

Le papier de toilette s'est décollé de son soulier. En quinze secondes!!! (Peut-être que je le lui aurais dit après trente secondes.) Dans son contrat de vie, elle avait sûrement un meilleur arrangement que moi à la clause «honte et humiliation».

23 h 32

Kat et moi sommes couchées dans mon lit depuis quelques minutes. Elle me chuchote:

– Tu dors?

Moi: Non.

Kat: À quoi tu penses?

Moi (dans ma tête: Emmerick; dans la vraie vie): À rien.

Kat: Emmerick est vraiment cool!

Moi: Ah oui? Tu trouves? Ah. Pas *tant* que ça.

On a passé l'heure suivante (OK, les cinq minutes suivantes) à analyser ses expressions faciales à l'égard de Kat. J'ai tenté par tous les moyens d'avoir l'air neutre sur le sujet.

Kat: Hé! Parlant de gars, c'était qui le gars qui était ton âme sœur cosmique? Le sosie de Robert Pattinson?

Moi: Euh... C'est pas *évident*, genre?

Kat: Non, je n'ai vu aucun gars qui lui ressemble.

Moi: C'est... Damien.

Merde. J'aurais dû dire que c'est un gars qui est parti du camping. Pourquoi j'ai un cerveau si peu coopératif? Pourquoi?????

Kat: Damien? Je ne pensais pas qu'il était ton genre. Il n'arrête pas de faire des blagues plates. Et de cracher partout. C'est dégueulasse!

Moi: Pas si pire que ça.

Kat: Mais il ne ressemble pas à Robert Pattinson.

Moi: J'ai dit qu'il lui ressemblait *dans le noir*.

Kat: C'est sûrement l'amour qui te fait dire ça.

Moi: Ouain... Hé hé. Sûrement.

Dimanche 22 juillet

François et Tommy sont partis pêcher. (J'ai prié pour qu'ils ne rapportent rien, car ça ne me tente pas du tout de manger du poisson.)

Kat est allée appeler ses parents.

Si ma mère ne pensait pas que je suis un être si bizarroïde, j'aurais tellement le goût de lui parler... Je lui demanderais : « Comment on fait lorsqu'on est amoureuse d'un gars qui est amoureux de notre meilleure amie à qui on a juré solennellement qu'aucun gars n'entraverait notre relation ? » Je chercherais bien dans le *Miss Magazine* (c'est sûr qu'ils ont dû écrire un article là-dessus un jour), mais je n'ai pas pensé à mettre mes anciens numéros dans mes valises. (De toute façon, ç'aurait été exagéré puisque je ne partais que pour un week-end, quoiqu'on ne sait jamais quand on aura besoin de trucs psycho du *Miss*.)

Note à moi-même : À l'avenir, prévoir une valise contenant mes vieux numéros de *Miss Magazine*, leur utilité n'ayant rien à voir avec la durée du voyage.

11 h 21

Ma mère est plongée dans la lecture d'un roman, je n'ose pas la déranger.

11 h 24

J'ai vu par la fenêtre Kat approcher de la roulotte et Emmerick faire toutes sortes de simagrées pas très subtiles pour qu'elle remarque sa présence. Puis, une pensée m'a traversé l'esprit : si elle n'était pas venue, se serait-il intéressé à moi ? (Mais j'ai vite chassé cette pensée quand Emmerick a foncé dans un arbre, car j'ai pensé qu'il était VRAIMENT mon âme sœur cosmique parce qu'il est maladroit comme moi. Tout espoir n'est peut-être pas perdu ?)

11 h 25

Mon attention est détournée par Sybil qui, attachée dehors, joue avec des papillons et est arrêtée dans ses élans de chasse par sa laisse. Elle ne semble pas du tout comprendre pourquoi les papillons lui échappent sans qu'elle puisse les poursuivre, et elle finit par se rouler par terre. Je crois qu'elle tente ainsi de se défaire du harnais. Ce qui est vraiment tordant !

11 h 26

Oh non !!! Kat et Emmerick rient et partent en direction du lac.

11 h 37

Il paraît que si on veut absolument que quelqu'un nous remarque, il faut se placer à proximité de cette personne et reproduire par mimétisme tous les gestes qu'il fait. Il se gratte le front ? On se gratte le front. Il piétine sur place ? On piétine sur place. C'est ma mère, quand je suis allée lui demander d'urgence comment on fait pour qu'un gars s'intéresse à nous en prétextant que c'était « pour une amie », qui m'a dit que cette façon de faire, même si elle est discrète, est d'une efficacité redoutable.

Elle a dit que comme une histoire d'amour se tramait déjà entre l'amie de «mon amie» et le garçon, il fallait seulement que «mon amie» utilise un truc passif pour ne pas s'interposer. Le truc du mimétisme est supposément efficace et, dans son domaine, le marketing, il est souvent utilisé pour la vente. Mais elle a ajouté que c'était seulement un truc pour avant qu'il se passe quoi que ce soit de sérieux entre l'amie de «mon amie» et le garçon, sinon ce ne serait pas très gentil de la part de «mon amie» de s'immiscer dans quoi que ce soit. J'ai répondu :

– Oui, mais si mon amie a vu le gars avant l'amie sur qui le gars tripe ?

Ma mère : Euh... je ne te suis plus. Mais écoute, je pense qu'il faut seulement manifester sa présence et, si le gars est intéressé, ça va paraître. Je crois. Je ne sais pas trop.

11 h 38

Très utile. Vraiment très utile.

11 h 39

Bon. Il faut juste que je lui manifeste ma présence. Le truc du mimétisme, je ne sais pas trop. Bof.

13 h 34

Comment manifester ma présence à Emmerick (et/ou lui fournir la preuve que je suis très bien capable de gérer mes affaires toute seule) :

• allumer un feu avec deux branches de bois (c'était peut-être plus efficace à l'époque de l'homme des cavernes, style «percée du féminisme», «femme indépendante qui n'a pas besoin de l'homme pour allumer son feu»);

• tousser quand il n'est pas loin, juste pour attirer son regard (attention de bien doser les toussotements pour ne pas avoir l'air d'avoir un virus pouvant empêcher ledit garçon de nous approcher);

• bien m'habiller (dans un camping... je vais juste avoir l'air bizarre);

• tenter de l'impressionner avec des prouesses physiques (ayant déjà fait de la gymnastique, je pourrais faire des roues, faut juste trouver la bonne occasion, car commencer à faire des roues sans raison en plein milieu du camping me donnerait l'air un peu trop hyperactive. En plus, je risque de mettre la main sur des araignées par terre);

• me proposer pour faire partie du défilé du Noël des campeurs. (Ça, c'est une bonne idée! Peut-être qu'il n'a jamais remarqué ma vraie personnalité, mais en lutin ou en fée des étoiles ou quelque chose du genre, il me remarquera et verra quel sens de l'humour je peux avoir!)

État des trucs : Non efficaces.

Raisons :

1) Faire un feu avec deux branches est absolument impossible. (Je ne sais pas comment les hommes des cavernes ont survécu.)

2) Tousser est efficace seulement si on a l'intention que le gars (ainsi que tout un camping) nous prenne pour une faiblotte atteinte de tuberculose. (Tommy est même revenu de la piscine en disant : « Il paraît que tu as la grippe ? » Les rumeurs vont vite dans un camping.)

3) Il n'y a pas de défilé du Noël des campeurs comme tel. (Et s'informer à ce sujet peut vraiment vous faire perdre toute chance, que ce soit avec n'importe qui, d'avoir l'air de quelqu'un d'intéressant, car ce genre d'événement est considéré comme très quétaine.) Par contre, il y a un tournoi de course de poches de patates, et François et Tommy m'ont mise au défi d'y participer. (Peut-être qu'Emmerick pourrait constater qu'en plus d'avoir un sens de l'humour pour les activités de camping, j'ai un talent remarquable pour les sports inutiles.)

4) Ne PLUS JAMAIS demander conseil à ma mère. Elle n'est d'AUCUN secours en matière de relations humaines ! Son truc a ZÉRO rapport ! J'ai essayé. Emmerick est venu près de moi et m'a demandé si je savais où était mon grand-père, car il mangerait bien un de ses *grilled-cheese*. Il m'a dit ça en se grattant le lobe d'oreille droit et j'ai fait la

même chose en lui répondant que je ne savais pas trop où était mon grand-père. Et après, il a passé sa main sur sa joue droite et j'ai fait la même chose. Et malgré tout, il m'a demandé où était Kat !!!

Mardi 24 juillet

Noël des campeurs.

Un gros père Noël est venu, il portait un costume laid et défraîchi.

Tous les gens du camping ont décoré un gros sapin, il y avait de la musique et tout le monde participait à un barbecue commun.

17 h 20

Bang !

Le départ de la course de poches de patates a été sonné.

Tous les participants (dont moi – c'était total contre ma volonté, surtout depuis que je sais qu'aucun truc de manifestation de présence n'est efficace –, car François et Tommy m'y ont vraiment forcée, même si j'étais prête à subir n'importe quelle conséquence de leur part si je ne relevais pas le défi, et j'étais assez frue qu'ils se liguent ainsi contre moi, surtout que je croyais vraiment que Tommy était mon meilleur ami gars) ont commencé à sauter en tenant bien leur poche de patates (super élégant).

17 h 21

Derrière un arbre, plus loin que la piste de course, je crois voir deux personnes. Je saute encore plus vite pour voir qui c'est.

17 h 22

Un participant de la course me dépasse et je vois mal qui sont les deux personnes derrière l'arbre. Je saute plus vite pour tenter un dépassement.

17 h 22 (et 30 secondes)

J'ai dépassé mon compétiteur et j'aperçois une queue de cheval. Kat? Emmerick? Ils s'embrassent???

17 h 23

Est-ce que ce sont bien eux? Je saute encore plus vite pour tenter de voir plus loin (la tête du garçon est cachée par un arbre). Me suis-je trompée? Est-elle avec Tommy?

J'entends tout à coup dans la mini-foule qui assiste à la course:

– *Let's go*, Laaaaaf!!!!!!!!

Je me retourne, et c'est Tommy qui me fait signe de ne pas regarder vers lui mais vers la ligne d'arrivée.

Kat est-elle en train d'embrasser Emmerick?

Je saute de plus en plus vite.

17 h 24

Je franchis la ligne d'arrivée.

J'entends des gens crier, mais je continue de sauter, ne réalisant pas que j'ai terminé la course.

J'entends soudainement plein de gens rire et me crier de revenir. Je suis à deux pas de l'arbre.

Kat se retourne. Je suis devant eux, tenant toujours ma poche de patates. Elle dit (en s'essuyant le coin de la bouche : ark!!!) :

– Au, qu'est-ce que tu fais là???

Moi (réalisant où je suis et me retournant vers la course, voyant plein de gens me faire des simagrées) : Oh, euh, oups, je ne sais pas ce qui est arrivé, je suis tombée dans la lune, je pense.

Emmerick : Pendant une compétition ?

Kat : Oh, c'est vraiment son genre ! Elle est biz, mais on l'aime de même.

18 h

Apparemment, j'ai fait rire tout le monde en continuant la course après avoir franchi la ligne d'arrivée. C'est ce que j'ai cru comprendre en allant chercher mon trophée (un ancien trophée de bowling sur lequel un bonhomme vêtu d'un carré découpé dans une poche de patates, ajouté par quelqu'un, lance une quille : top laid). Tommy et François m'ont promis de faire mes quatre volontés pour le reste de la journée, vu que j'ai relevé leur défi.

20 h 01

Premier french de Kat et Emmerick, raconté par Kat :

– Blablabla là, il m'a dit que, quand il m'a vue, il a eu un genre de coup de foudre, blablabla, qu'il ne savait pas trop comment m'aborder, blablabla, qu'il a fait la traversée du lac pour m'impressionner, hahaha, il est trop tellement top chou (citation telle quelle, je suis zéro responsable de la quétainerie du contenu) et qu'il t'a sauvé la vie pour m'impressionner.

Euh, OK, donc, si Kat n'avait pas existé, il m'aurait laissée me noyer, c'est ça???? !!!!!

Kat : T'imagines s'il ne t'avait pas sortie de l'eau, tu serais peut-être... noyée... Oh... mon amie. Je n'aurais jamais supporté de te perdre !!! À qui je raconterais les plus belles journées de ma vie???

Moi : C'est la plus belle journée de ta vie, aujourd'hui? Noël des campeurs?

Kat : Ouiiiiiiiiiiiiiiiiiii!!!!!!!!!!!!

Moi : Oui, mais en faisant d'aujourd'hui la plus belle journée de ta vie, tu t'empêches d'avoir une autre plus belle journée.

Kat : Ben là, c'est pas coulé dans le béton. C'est la plus belle journée jusqu'à maintenant, mais peut-être qu'il y en a de plus belles qui s'en viennent.

Moi : T'as dit que c'était la plus belle journée de ta vie. Donc, ça veut dire de toute ta vie. Tu l'as dit.

Kat : Coudonc, t'accroches donc ben sur les détails.

Moi : Ben c'est peut-être toi qui n'es pas claire quand tu parles !

Et là, elle a continué :

– Là, quand il a vu que j'étais bête avec lui, il a été insulté, mais il voulait absolument me montrer qu'il était un bon gars. Et là, tantôt, il m'a demandé si on pouvait aller dans un coin parce qu'il avait quelque chose à me dire.

En gros, il lui a dit :

– Je suis l'âme sœur cosmique d'Aurélie, mais je suis par erreur amoureux de toi.

Non, il ne lui a pas dit ça, c'était plutôt :

— Je suis un gros con fini qui sauve la vie des gens dans mon seul intérêt personnel, mais si tu m'acceptes comme ça on pourrait sortir ensemble.

En réalité, il lui a vraiment dit :

— J'ai des problèmes de vision et parfois, je mélange les visages. Quand je t'ai aperçue, je croyais que tu étais Aurélie et je me suis en fait trompé de personne, c'est elle que j'aime.

Bon, la vraie réalité, c'est qu'il lui a dit ceci (après avoir fait tout l'historique du pourquoi il tripait sur elle) :

— Est-ce que t'aurais le goût... qu'on s'embrasse ?

Et Kat a fait oui, et ils se sont embrassés. Et il paraît qu'aucun gars ne lui avait fait cet effet. Que jamais un gars ne l'avait embrassée comme ça.

22 h 15

Je suis jalouse de mon amie. Et je m'en veux.

P.-S. : J'ai échappé mon trophée de course de patates dans le fleuve. (OK, en réalité, je l'ai jeté avec une force quasi bionique, quoi que puisse penser Tommy de la force de mes lancers.)

P.P.-S. : J'ai embrassé Damien.

Août

Sauver les meubles

Samedi 4 août

Je me suis réveillée en sursaut, avec cette étrange impression de ne pas trop savoir où j'étais. Dans le noir, mes yeux arrivaient mal à distinguer le décor. Encore endormie, j'ai tenté de déterminer où j'étais : chez moi, au camping, dans la nouvelle maison ? Aucune idée… Mes yeux s'habituant à l'obscurité, j'ai vu tout l'espace que j'avais devant moi, la porte de la salle de lavage, puis, plus loin à ma gauche, la fenêtre qui laissait entrer un mince filet de lumière m'a permis d'entrevoir mes meubles, mon coin salon et mon bureau.

Je suis dans ma nouvelle maison.

Sybil est à mes pieds.

Puis, un bruit m'a fait sursauter, ce qui a réveillé ma chatte.

2 h 02

Dans mon lit, les couvertures montées jusqu'à mon nez.

J'entends plein de bruits bizarres… Je n'aime pas trop ça, dormir dans le sous-sol… Je le réalise maintenant. Je pense que si les fantômes existent, ils se tiennent dans le sous-sol. Pas seulement à cause de la salle de lavage, mais 1) parce que c'est un endroit frais, humide et terrifiant, 2) c'est d'ailleurs là qu'on trouve les araignées et 3) euh… bon, je ne trouve pas de troisième preuve. Mais tout ça pour dire – et c'est seulement une théorie, disons, instinctive – que si les fantômes existent, ils sont clairement ici.

Dans mon ancienne maison, lorsque j'entendais un bruit fantomatique, je pouvais me dire que c'était mon père. Alors, ce n'était pas si pire. C'était un fantôme que je *connaissais*. Mais ici, ça pourrait être n'importe qui! Ça pourrait être un méchant fantôme!

AAAAAAAAAAAAHHHHHHHHH!

Tout ça a assez duré! Je ne dors plus jamais ici.

2 h 05

J'ai pris mon courage à deux mains, je suis sortie du lit en emportant ma douillette et mon oreiller et j'ai couru pour me sauver de ma chambre.

2 h 06

Je me suis vraiment sentie suivie par une entité dans l'escalier. C'est sûr que la maison est hantée.

Je vais mieux dormir sur le divan du salon, en haut.

2 h 07

Oh non!!!! Sybil est restée en bas avec les fantômes!!!

Je m'approche de la porte du sous-sol et je crie/chuchote:

– Sybil! Sybil! Viens!!!

François (de sa chambre): Aurélie, c'est l'heure de dormir.

Franchement, c'est quoi son rapport? Je suis en vacances, j'ai le droit de me coucher à l'heure que je veux! Pfff!

Toujours en criant/chuchotant :
– Bon, ben tant pis pour toi si tu restes là, arrange-toi avec les fantômes !

2 h 08

Je crois que Sybil a compris, car elle est montée. (Elle a peut-être même vu le fantôme, car les chats peuvent voir ce qui est, disons, invisible pour l'humain.)

Ohhh... Si j'habitais chez moi, j'irais cogner dans la fenêtre de chez Tommy. Qu'est-ce que je dis là, chez moi ? Ce n'est plus chez moi... Devrais-je y aller quand même ? Avec mon vélo ? Ma mère m'en voudrait de partir à cette heure de la nuit.

Je suis comme prisonnière, ici. De cette maison hantée.

2 h 11

Pour m'endormir, je repense à mon ancienne chambre. À sa disposition, au mur rouge cerise et aux autres murs roses. À mon ancienne douillette...

Dimanche 5 août

Moi : Faites moins de bruit...

Ma mère et François se sont levés et on dirait qu'ils se sauvent d'un imminent danger tellement ils font du vacarme. Alors que les ustensiles cliquettent et que les portes d'armoires claquent, je mets mon oreiller sur ma tête.

Ma mère (qui approche du divan) : Qu'est-ce que tu fais là, toi ? Tu n'es pas dans ta chambre ?

Moi (endormie) : Non. Fantômes. Laisse-moi dormir. Congé.

Ma mère : Retourne dans ta chambre si tu ne veux pas être dérangée. Peut-être que tu te sentirais mieux dans ta chambre si tu défaisais tes boîtes aussi ! Et si tu faisais ton lit !

Je me résigne et, encore tout endormie, je me dirige vers ma chambre en grommelant :

– Meh, rapport ?!?!

Midi

Est-ce que quelqu'un peut me dire qui est cette visite qui arrive par surprise et qui est outrée que les lits ne soient pas faits ?

Non mais, j'aimerais bien le savoir !

Parce que c'est l'ultime argument de ma mère pour m'obliger à faire mon lit !

Depuis qu'on est revenus du camping, elle n'arrête pas de venir voir ma chambre et de me dire de faire mon lit. Et quand je lui dis que ce n'est pas grave si je ne le fais pas, elle me dit qu'elle aimerait que la maison soit propre en tout temps, au cas où de la visite viendrait.

Ma chambre est au sous-sol ! Au pire, si elle a si honte que mon lit ne soit pas fait, elle n'a qu'à ne pas montrer ma chambre !

Alors, elle me dit que ma chambre est super « mignonne » (c'est son mot) et qu'elle aimerait bien pouvoir la montrer sans avoir honte parce que je n'ai pas fait mon lit ni mon ménage.

Mais AUCUNE visite ne vient par surprise.

Alors, ma mère me dit que mes amis seraient sûrement plus «contents» (c'est son mot) de venir me voir dans une chambre propre.

Je lui réponds que mes amis ont autre chose à faire que de regarder si mon lit est fait ou non.

Honnêtement, je ne vois pas à quoi ça sert de faire son lit. Un lit sert à dormir, pour dormir ça prend des couvertures et pour aller dans ses couvertures, il faut *défaire* son lit. Donc, logiquement, un lit devrait toujours être défait ! Ça fait tellement partie de ces gestes inutiles qui nous font perdre du temps dans la vie. À quoi ça sert de faire son lit pour que ce soit «beau» ? C'est TOTAL superficiel !

11 h 32

Pendant que je fais mon lit (total frue), ma mère entre dans ma chambre pour me féliciter de garder ma chambre propre, mais elle serait davantage contente si je défaisais mes boîtes. (Son commentaire m'irrite au plus haut point et m'enlève carrément le goût de recommencer.) Je réponds, un peu sarcastique :

– Ouais, t'sais, on sait jamais, la visite-surprise.

Ma mère : Il y a quelque chose qui ne va pas ces temps-ci, ma belle ?

Je repense soudain à Damien et j'ai des convulsions de terreur. Après que Kat m'a raconté son premier baiser avec Emmerick, j'ai tellement été déboussolée que lorsque Damien m'a félicitée pour avoir remporté le tournoi de poches de patates et qu'il m'a dit que je pourrais maintenant être la reine des

poches de patates (vraiment, ce gars est tellement crétin !), je l'ai embrassé et c'était
vraiment la chose la plus (frisson d'effroi
renouvelé) répugnante que j'ai vécue de ma
vie. Il avait la bouche pâteuse (style maïs en
purée) et une mauvaise haleine (ça goûtait
presque ce que sent le fumier).

J'essaie d'oublier ce moment qui me revient
en tête en boucle depuis des jours et qui me
donne des haut-le-cœur.

Heureusement qu'il partait le lendemain
pour son camp de cadets.

Je réponds à ma mère :

– Non, non. Y a rien.

Ma mère : T'sais, c'est moi qui t'ai faite. Je te
connais.

Moi : J'ai ma propre personnalité. Tu ne
peux pas lire dans mes pensées.

Ma mère : Ah oui ? (Elle me scrute.)
Hum... je vois que tu meurs d'envie de prendre
tes cours de conduite, mais que tu es gênée
d'appeler pour prendre rendez-vous. Je me
trompe ?

Pas tout à fait. Ces temps-ci, elle me
demande presque tous les jours quand je
prendrai mes cours de conduite, que ça va me
procurer une indépendance, etc., etc. Je lui
réponds toujours que je ne me sens pas prête.
(Je ne lui ai pas avoué que je retardais le moment
parce que j'ai peur que des araignées me
revolent dessus pendant que je conduis...)

Moi : Euh... ouais, c'est ça.

Ma mère : Si tu es assez vieille pour conduire,
tu es assez vieille pour prendre rendez-vous.

Moi : Ouais, hé hé. Je vais... prendre mon courage à deux mains.

Ma mère : Bon, je te taquinais un peu. Je pense que ce n'est pas ça qui te préoccupe, hein ? C'est une histoire de garçons ? L'autre jour, quand tu m'as parlé de « ton amie » qui tripait sur un gars qui était en fait en amour avec « son amie », tu parlais de toi, non ? Et de Kat ? Et de Tommy, peut-être ?

Moi : Coudonc, c'est quoi ton rapport avec Tommy ? Je ne triperai jamais sur lui, bon ! C'est mon a-m-i. Et on se chicane la plupart du temps. Arrête, avec lui !

Ma mère : OK, OK. Excuse-moi. Le beau garçon du camping, alors ? Comment il s'appelle ? Éric ?

Moi : Emmerick...

Elle m'a eue. Je déballe tout (vraiment, pour moi, le métier d'espionne internationale gardant les secrets d'État est proscrit, je suis nulle en rétention d'informations) :

– Est-ce que ça t'est déjà arrivé d'être en amour avec un gars qui préfère ton amie ?

Ma mère (en me flattant les cheveux) : Oh... Pauvre Choupinette...

Moi (en me dégageant) : Maman ! ! !

Ma mère : Je comprends que ça ne doit pas être évident...

Moi : Kat a déjà TOUT. Une famille parfaite. Un chien. Une passion pour l'équitation. À côté d'elle, j'ai l'impression d'être... une erreur de la nature !

Ma mère : Ne dis pas que tu es une erreur de la nature ! Franchement !

Moi : Je suis comme mêlée entre être contente pour elle, vu qu'elle est vraiment amoureuse et que ç'a l'air réciproque du côté d'Emmerick, et être jalouse...

Ma mère : Ça arrive à tout le monde un jour d'aimer quelqu'un et que ce ne soit pas réciproque. J'espère que tu n'en veux pas à Kat pour ça.

Moi : Non. Mais on dirait que je ne suis plus naturelle avec elle. Les derniers jours au camping, j'étais contente que Tommy soit là pour faire des choses avec lui et laisser Kat seule avec Emmerick. De toute façon, quand elle est amoureuse, elle m'oublie un peu.

Ma mère : Ça va revenir. C'est nouveau, c'est normal qu'elle soit un peu obnubilée par ça. Votre éloignement momentané va te permettre de t'adapter à la situation.

Moi : Tu ne trouves pas que je suis une personne horrible?

Ma mère : Ben non! Euh... pendant qu'on est dans les confidences, j'ai quelque chose à t'avouer... Je veux le faire depuis longtemps, mais...

11 h 49

A R R R R R G G G G G G-GHHHHHHHHHHHHH! ALERTE TERRO-RISTE!!!!!!!!

C'EST ÉPOUVANTABLE. É-POU-VAN-TA-BLE. É-P-O-U-V-A-N-T-A-B-L-E!!!!!!!!!!!!!!!!

Pour ma fête-surprise, ma mère a pris mon carnet d'adresses qui est sur ma table de chevet, à côté de mon téléphone (un super beau carnet d'adresses avec une illustration hyper *girly*, que ma tante Loulou m'a donné à Noël passé, mais en tout cas, là n'est pas la question). Bref, ma mère a pris ce carnet d'adresses et a appelé tous les gens qu'elle croyait proches de moi. TOUS. LES. GENS. Dont... NICOLAS ! NICOLAS ? OUI. NICOLAS. Elle se souvenait seulement que la dernière fois que je lui avais parlé de lui, je lui avais dit qu'on était amis, alors elle l'a APPELÉ POUR L'INVITER À MA FÊTE ! ! ! !

S'IL VOUS PLAÎT, FAITES QU'UNE TORNADE M'EMPORTE LOIN D'ICI ET/OU ME FASSE DISPARAÎTRE PARCE QUE JE N'AI JAMAIS EU AUSSI HONTE DE MA VIE ! ! ! ! ! ! !

20 h 51

Ma mère s'est confondue mille fois en excuses. Elle a dit qu'elle voulait me faire plaisir en organisant ma fête. Elle a même pleuré. François est même venu me voir pour me dire que je faisais beaucoup de peine à ma mère. Et ma mère est ensuite venue me voir pour me dire qu'elle avait dit à François de ne pas s'en mêler.

22 h 01

J'ai présentement l'impression que mon corps est un élastique et qu'il est étiré de tous les côtés.

22 h 02

Si c'est vrai qu'on choisit soi-même son destin, à quoi je pensais quand j'ai choisi le mien ?

Mardi 7 août

Ma mère se sent hyper coupable (ce qui me fait me sentir mal). Mais au moins, elle me laisse dormir sur le divan.

Kat parle sans cesse d'Emmerick. Ils s'appellent tous les jours et il ne rêve que d'une chose : son retour au camping. On a convenu d'y aller en fin de semaine. (Ça me fera du bien de prendre l'air.)

Quand elle m'en parle, je souris et je hoche la tête. C'est l'attitude que j'ai décidé d'adopter en attendant de m'adapter à la situation.

Tommy est très occupé avec son travail en jeux vidéo et il fait plein d'argent. Il dit qu'il aura bientôt atteint son but et pourra s'acheter sa fameuse guitare de marque je-ne-sais-plus-quoi, comme je-ne-sais-plus-quel guitariste.

Alors, je passe pas mal mes journées toute seule avec Sybil.

Ce qui fait dire à ma mère que je devrais en profiter pour prendre les cours de conduite, mais lorsque je soupire, elle me laisse tranquille (sans doute par culpabilité de son acte terroriste).

Aujourd'hui, j'ai défait une boîte, mais ça m'a presque fait faire une crise cardiaque, alors j'ai laissé tomber, jugeant que c'était mieux pour ma santé.

Vendredi 10 août

Jean-Félix est de retour. On a fait une soirée *Rock Band*, lui, Kat et moi, chez Tommy.

Après la soirée, je me suis trompée et je suis allée à mon ancienne maison.

Moi = nouille (X 1000).

Samedi 11 août

Le père de Kat est venu nous reconduire au camping, chez mes grands-parents.

Ma grand-mère était bien contente de nous voir arriver et nous a fait du pain doré.

Ma tante Loulou, mon oncle Claude et mon cousin William sont arrivés pendant qu'on mangeait. Ma tante a appelé ma mère pour lui demander pourquoi elle n'était pas venue et, fidèles à leur habitude, elles se sont parlé pendant une heure avant que ma tante raccroche en nous disant – car nous la toisions – qu'elle avait un excellent plan d'interurbain sur son cellulaire.

Kat avait des fourmis dans les jambes tellement elle avait hâte de revoir Emmerick.

Et j'ai dû me taper leurs retrouvailles.

À mon grand désarroi, Damien aussi était là et il m'a dit (avec un accent anglais) :

– Oh woui. Bonjouw Auwelie. Tou veux allewr faiwe du euhm... comment on dit en fwançais?

Moi : Euh... T'es allé une semaine dans un camp de cadets et tu ne parles plus ta langue maternelle?

Lui : Ah woui... velow. C'est twes duwe ce mow. Tou veux faiwe du velow?

Je me suis tournée vers Emmerick :
– Il niaise?

Emmerick : Il parle comme ça depuis qu'il est revenu. Il dit qu'il a oublié son français à force de parler anglais.

Et moi qui pensais que j'avais une mauvaise mémoire!

Moi (vers Damien) : Attends, t'es allé une semaine dans un camp de cadets et tu as tout oublié?

Damien : Je m'excouse, pouwais-tou pawler plus lentement, je n'ai pas tout compwis.

J'ai éclaté de rire. Damien Blackburn est officiellement le gars le plus niaiseux que j'ai jamais rencontré de ma vie.

Damien (en me prenant les mains) : C'est finwi nous euhm... *for the two of us*? Comment on dwit ça en fwançais?

Moi : Traduis ça : Damien Blackburn, tu es un *big and peace*.

Damien : Gwos et paix?

Moi : Oui, gros épais!

Kat a éclaté de rire, Emmerick aussi, et je n'en revenais pas que mon cerveau ait, pour une fois, collaboré. Je crois qu'il faut que je sois particulièrement fâchée pour que mon sens de la répartie fonctionne. Comme les superhéros qui doivent canaliser leur énergie. Peut-être que j'ai un réel talent pour la répartie, mais que je canalise mal ce pouvoir, comme un superhéros débutant, genre.

22 h 15

Ce que j'ai dit à Damien a fait le tour du camping. Et il ne s'est pas présenté ce soir au rendez-vous de la gang sur le quai pour regarder les Perséides. Val a tellement ri qu'elle en pleurait, et elle a commencé à surnommer Damien « Big and Peace » et, à la fin de la journée, tout le monde le surnommait comme ça (hihi).

Ce n'est pas que j'aime que les gens soient humiliés, mais quand on rit de nous, il faut se défendre.

Je suis maintenant une fille tellement pleine d'assurance. (Bon, pas tant que ça, mais ça s'en vient.)

22 h 21

Kat et Emmerick s'embrassent.

Val et Benoît s'embrassent.

D'autres gens que je ne connais pas s'embrassent.

Je me concentre sur l'observation des étoiles filantes.

Une chance que je suis dans la secte des célibataires. Sinon, je me sentirais total rejet.

22 h 23

Emmerick se lève pour aller au télescope et Kat vient s'asseoir près de moi et me dit :

– Au, je pense que c'est lui. C'est LUI. C'est avec lui que je vais aller à mon bal. C'est mon grand amour. Ça te dérange si on va faire du cheval demain?

Moi (en souriant et en hochant la tête) : Ben non. Je vais rester avec mes grands-parents.

Emmerick est éclairé par le firmament et les étoiles, et Kat lui lance un regard admiratif.

23 h 01

Ce soir, je n'ai aucun vœu à formuler aux étoiles filantes. (À part peut-être celui que Jasmine ne monte pas sur moi, elle serait difficile à repérer dans cette obscurité.) Je les regarde filer et je me dis qu'elles peuvent arriver de n'importe où et s'en aller vers n'importe où. Et que cet élément de surprise n'est pas tout à fait dépourvu d'intérêt. (J'avoue que c'est aussi le slogan d'une marque de céréales avec guimauves ; dans la boîte, on trouve toujours un cadeau-surprise. Le mois passé : un podomètre qui ne fonctionnait pas.)

23 h 17

Je regarde les étoiles dans le télescope. (C'est mieux que de regarder tout le monde frencher). Il paraît que les astronomes utilisent l'année-lumière comme unité de mesure. Ça permet de quantifier la distance, mais aussi le temps qu'il a fallu à la lumière pour nous parvenir. Les télescopes sont en quelque sorte des « machines à voyager dans le temps » qui nous permettent de voir dans le passé, donc d'observer des galaxies très lointaines à des distances de dix à douze milliards d'années-lumière, qui nous apparaissent telles qu'elles étaient alors. Je me demande si, de leur côté, certaines étoiles peuvent également voir notre passé. Et je me demande laquelle de ces étoiles dans le ciel peut, en ce moment, observer la planète Terre pendant les années où mon père était encore dessus.

Dimanche 12 août

Pendant que Kat et Emmerick sont allés faire de l'équitation, j'ai cuisiné avec ma grand-mère et ma tante Loulou. Mon oncle et William étaient quant à eux partis pêcher.

On a fait une salade de fruits. Ma grand-mère y a ajouté des cerises au marasquin et elle m'a dit en secret que le corps mettait au moins huit ans à les éliminer du système. Je ne sais absolument pas si c'est une histoire de grand-mère ou si c'est la vérité. (Si c'est la vérité, je me demande pourquoi elle continue d'en mettre dans sa salade de fruits et à quel point elle a un esprit machiavélique pour vouloir infliger cette indigestion à ses proches, mais bon.)

Et présentement, ma tante Loulou et moi préparons des bleuets pendant que ma grand-mère pétrit une pâte pour faire de la tarte aux bleuets.

En regardant les bleuets que j'ai préparés, ma grand-mère me dit que je tourne les coins ronds, comme ma mère quand elle était jeune. Et ma tante Loulou se penche vers moi et me dit :

– Pareil ! Faut enlever les moisis et il ne faut pas laisser de tige. Tu vois ? Dans la lune, comme ma sœur !

Elles commencent alors à se relancer avec des souvenirs sur ma mère, un à la suite de l'autre.

Ma mère ne m'aurait jamais dit qu'elle était hyper bordélique. Elle ne m'aurait jamais dit qu'elle avait de très mauvaises notes à l'école, particulièrement en mathématiques. Elle ne m'aurait pas dit non plus qu'elle avait eu une grosse chicane avec son père quand il était allé la chercher au poste de police en pleine nuit parce qu'elle était entrée dans un bar avec de fausses cartes. Ni qu'elle voulait se teindre les cheveux en blond platine, mais que ç'avait donné vert lime et qu'elle avait supplié ses parents pour ne pas aller à l'école pendant une semaine. Elle ne m'aurait jamais dit qu'elle et ma tante Loulou se chicanaient tellement que mes grands-parents les avaient retrouvées derrière la maison, se courant après avec des couteaux à beurre. Ni que ma tante Loulou avait coupé les cils d'une poupée de ma mère pour se venger de ma mère qui lui avait fouetté le mollet avec sa corde à danser.

Note à moi-même : Tenter d'endormir mon esprit machiavélique qui serait tenté de se servir de certaines de ces informations comme arguments futurs à mon avantage.

12 h 03
Pendant que j'écoutais ma grand-mère et ma tante Loulou, tout en reprenant ma chasse

aux bleuets moisis, quelque chose m'a frappée. J'ai réalisé que j'ai toujours voulu savoir plein de choses sur mon père, mais qu'il ne m'était jamais venu à l'idée d'en connaître un peu plus sur le passé de ma mère. Comme si, en voulant me rapprocher de mon père, je m'étais éloignée de ma mère. Et je me suis rendu compte que je dirigeais toujours ma colère contre elle. Peut-être parce qu'elle est mon seul parent contre qui me révolter? Je ne sais pas.

Lundi 13 août

De retour chez moi.

J'ai décidé d'arrêter d'être toute perdue. Parce que, franchement, je me tape sur les nerfs solide depuis quelque temps.

En fait, j'ai eu cette révélation dans ma douche pendant que je lisais une bouteille de shampoing qui disait: «Savourez le moment.»

D'ailleurs, pendant que je prenais ma douche, ma mère est venue cogner à la porte en disant que je gaspillais toute l'eau chaude.

En sortant, je lui ai expliqué que sur les instructions de la bouteille de shampoing, il est indiqué de faire *deux* shampoings, en massant le cuir chevelu de *deux à trois minutes*, et ensuite de «savourer le moment» et que je ne faisais que *suivre* les consignes. Ma mère a eu l'air perplexe un instant, mais je lui ai fait part de mes dernières réflexions. En ajoutant que ma fête était ma plus belle à vie. Et que le gâteau à l'effigie d'Edward Cullen/Robert Pattinson était une super idée. Et que j'allais vraiment essayer d'embarquer dans son groupe «faire son lit est une étape importante de la journée». Et elle m'a dit:

– Mon Dieu! C'est quoi, ce shampoing-là, que j'en achète une caisse?!

En fait, je suis tannée d'accorder trop d'importance à tout. Je me vante toujours d'être hyper zen. Et je fais toujours des tempêtes dans un verre d'eau.

J'ai décidé de me fâcher contre Nicolas plutôt que contre ma mère. Si Nicolas me trouve nouille parce que ma mère l'a invité à ma fête, c'est lui le pire! Franchement, trouver une fille nouille parce que sa mère veut lui faire une surprise, ce serait vraiment la chose la plus nulle et archinulle du monde entier! (Mais il ne peut sûrement pas comprendre parce que sa mère est bête comme ses pieds!)

Alors, bref, on arrête de capoter. On respire. Ah-fu, ah-fu.

Bref, si je croise Nicolas et qu'il me dit qu'il a trouvé ça pas rapport d'être invité à ma fête, je vais lui dire: «Ben toi, tu n'as juste pas rapport d'exister.» (Bon, je suis certaine qu'une fois ma colère canalisée, je trouverai mieux, je sais que j'en suis capable.) Ma mère, c'est la plus fine du monde et ma fête, c'était la plus belle du monde, et Nicolas a juste manqué le plus beau party de sa vie! (Éviter surtout de parler des épisodes de l'araignée et de la meilleure-amie-ayant-provoqué-un-coup-de-foudre-chez-mon-âme-sœur-cosmique, et tout va bien aller.) Voilà. Ça suffit le chichi ! Grrr.

Il faut que je sois capable de me défendre. Et que je sois mature. J'ai seize ans. Je suis à l'aube de ma majorité. Il faut que ça paraisse dans mon comportement.

Note à moi-même : Je me demande si passer devant mon ancienne maison à vélo est une preuve de grande maturité. Ah, sûrement. Oui. Les gens matures sont toujours nostalgiques de quelque chose.

Mardi 14 août

Ma mère et moi, on se confie plein de choses maintenant. Elle est ma seule confidente (avec ma grand-mère Laflamme) depuis que je ne peux plus trop parler à Kat qui passe du temps en famille (et au téléphone avec Emmerick).

Cette crise nous a un peu rapprochées.

D'ailleurs, je réalise tous les sacrifices que ma mère peut faire en vivant avec un homme. Quand il se rase, François laisse parfois traîner quelques poils de barbe dans le lavabo. Je trouve ça assez dégueu. J'en ai glissé un mot à ma mère qui m'a félicitée pour mon sens de l'observation, tout en me disant de commencer mon nouveau régime de salubrité par ma propre chambre. (Ça m'apprendra à être de son bord.)

Jeudi 16 août

Kat s'ennuie d'Emmerick et veut le présenter à ses parents. Il paraît qu'hier, au téléphone, ils se sont dit: «Je t'aime.» (Méchante grosse nouvelle.) Emmerick est donc invité à souper chez Kat samedi. Et elle m'a demandé d'être là. Super.

J'ai appelé ma mère à son travail pour lui en parler, et elle m'a dit qu'elle appréciait que je veuille lui confier des choses, mais qu'elle préférerait que je le fasse lorsqu'elle ne travaille pas.

Adultes = êtres souvent insatisfaits.

13 h

J'ai pris mon vélo et je suis allée chez Tommy. Je lui ai dit à quel point je trouvais ça difficile de ne plus pouvoir traverser ma cour pour aller le voir en cognant à sa fenêtre. Je lui ai parlé de mon histoire de fantômes et il a dit:

— C'était quand, la dernière fois que tu as vu dans les journaux qu'un fantôme avait attaqué des gens?

Je suis restée bouche bée sur le coup (car je n'ai jamais vu de tels articles), mais je suis quasi certaine que, si ça arrivait, les gens ne seraient pas pris au sérieux. Ah!

Samedi 18 août

Je n'aime pas trop quand l'été tire à sa fin et que les feuilles commencent à changer de couleur et même à tomber.

Je n'aime surtout pas lorsque ma mère se lève et qu'elle me dit qu'on doit absolument aller acheter mes nouvelles fournitures scolaires seulement parce qu'elle vient de recevoir une lettre de l'école (on est beaucoup trop à l'avance).

Quand elle m'a réveillée (toujours sur le divan) pour aller magasiner, elle a précisé que je ne pourrais élire domicile dans le salon et que je devais retourner dans ma chambre. Que ça avait assez duré, (et je cite) « cette comédie » (comme si elle était dans un film français).

Je lui ai parlé des fantômes et François a éclaté de rire.

Je leur ai dit que je n'aimais pas être ridiculisée dans mes croyances.

Bref, ma mère a insisté pour aller magasiner en prétextant un manque flagrant de temps dans son horaire pour le faire et, comme elle ne sait pas quand elle aura le temps, elle préfère le faire aujourd'hui ou que j'y aille par mes propres moyens cette semaine.

Évidemment, je me suis levée. Je préfère y aller avec elle, disons. C'est plus agréable à deux.

On a mangé rapidement et on est parties. François est allé faire du vélo (j'aurais honnêtement préféré cette activité).

Je n'ai donc pas pu me sauver de cette journée de magasinage. Ni de l'odeur particulière des nouvelles fournitures scolaires, qui aurait totalement pu me déprimer si je n'avais pas cette nouvelle résolution imposée par mon shampoing et qui est de « savourer le moment ».

19 h

Le souper avec les parents de Kat s'est bien passé. Emmerick s'est bien entendu avec eux, même avec Julyanne. Lady l'adore, elle n'arrêtait pas de se coller à lui. Pendant le souper, le père de Kat posait toutes sortes de questions sérieuses à Emmerick (moi, ça m'aurait trop gênée!!!), du genre « ce qu'il voulait faire plus tard » (il veut être médecin, ce à quoi Kat a répliqué : « Et moi, vétérinaire !!! »), s'il réussissait bien à l'école (il a déjà gagné un prix du Club Sciences, ce à quoi Kat a répliqué : « J'ai failli faire partie du Club Sciences !!! » – c'était *total* pour un gars, mais je n'ai rien dit) et la fameuse question qui m'aurait clouée sur place : Comment vont-ils vivre leur amour « à distance » puisqu'ils ne vont pas à la même école et qu'ils n'habitent pas le même quartier ? Ce à quoi il a répondu :

– On habite la même ville, c'est déjà ça. Et j'ai mon permis temporaire et mes parents vont me prêter leur voiture. Sinon, on habite à peu près à trente minutes de vélo, c'est pas si pire.

On aurait dit que mes dons de télépathie me faisaient entendre les pensées du père de Kat tellement son visage était transparent. On aurait dit que j'entendais qu'il ne laisserait pas partir Kat trente minutes en vélo toute seule, qu'il ne la laisserait pas non plus monter dans la voiture d'un garçon irresponsable, etc. À moins que ce soit ce que les pères disent dans les films et que ce soient ces dialogues cinématographiques qui me revenaient en tête, car je n'ai aucun point de comparaison dans ma vie.

Père de Kat: Ça me surprendrait que je laisse partir ma fille en vélo toute seule, le soir. C'est votre cinquième secondaire, c'est important.

Ah! On peut toujours se fier au cinéma.

Kat: Papaaaaa!

Emmerick: En tout cas, Kat et moi, on va avoir deux bals de finissants.

Kat a fondu, littéralement.

Père de Kat: En tout cas, compte pas sur moi pour t'acheter deux robes. Une, c'est assez.

Kat: Je mettrai la même!

Moi: Je te prêterai la mienne au pire, Kat.

Mère de Kat: Bon, mon amour, franchement, on peut lui payer deux robes s'il le faut.

20 h 56

Après le souper, nous sommes allés rejoindre Tommy et Jean-Félix au parc. En chemin, Kat se confondait en excuses pour son père, ce à quoi Emmerick a répondu qu'il était habitué. Mauvaise réponse, car Kat a commencé à le questionner sur le nombre de blondes qu'il a eues avant elle et j'ai assisté à leur première chicane...

En marchant, j'ai réalisé à quel point lui et Kat avaient des choses en commun. En fait, Kat et lui ont exactement la même vie: deux parents vivant ensemble, elle une sœur, lui un frère, une passion pour la médecine, même si ce n'est pas pour la même espèce, et un intérêt marqué pour le camping. Je m'étais trompée sur ma complicité cosmique avec lui. J'étais sûrement obnubilée par le fait qu'il est vraiment beau.

21 h 02

Au début, Jean-Félix semblait un peu jaloux d'Emmerick, mais après une heure, on dirait qu'ils sont devenus les meilleurs amis du monde, ce qui a semblé faire plaisir à Kat.

21 h 32

Sur les balançoires, on a commencé à parler des jours qui raccourcissent et de notre mini-dépression au sujet de l'école qui va bientôt recommencer. Emmerick a dit qu'il allait s'ennuyer de Kat et a émis la crainte de n'être qu'un amour d'été pour elle.

Et ils se sont retirés pour avoir un peu d'intimité.

21 h 45

Emmerick et Kat sont revenus, et Kat s'est assise à côté de moi, sur la balançoire. Elle avait les joues rouges et un petit rire nerveux. Emmerick, qui se demandait s'il devait appeler ses parents pour qu'ils viennent le chercher, s'est éloigné un peu de nous. Pendant que Kat et moi nous balancions tranquillement, nous le regardions nous faire dos.

Kat : Hé, Emmerick, de même tu ressembles à...

Elle se retourne vers moi, mal à l'aise.

Emmerick (en se retournant) : À qui ?

Kat : À... euh... personne.

Elle me regarde. Je baisse la tête.

Emmerick : À l'acteur de *Twilight* encore ? Vous êtes tannantes avec ça, les filles !

Moi : Juste dans le noir...

Kat : Aurélie...

22 h 15

Looooooooongue explication avec Kat. Un peu plus loin, dans le parc, cachées des gars.

Kat : Mais pourquoi tu ne me l'as pas dit ?

Moi : Ben vous êtes amoureux... Quand j'ai vu qu'il tripait sur toi, j'ai oublié ça.

Kat : Mais je n'aurais jamais rien fait si tu m'avais dit que c'était ton âme sœur cosmique !

Moi : C'est pas mon âme sœur cosmique s'il tripe sur toi. Pis... tu sais quoi ? C'est toi, mon âme sœur cosmique. Notre pacte signé au vernis à ongles est le plus important pour moi. Aucun gars ne peut nous séparer.

Kat : Hon... T'aurais dû me le dire...

Moi : Ben non...

Kat : Je ne l'aurais jamais approché, jamais. Si tu veux que je casse... je vais le faire. On l'a dit : aucun gars ne peut nous séparer.

Moi : Ben franchement, non !

Kat (en pleurant) : T'es tellement ma *best for ever and eve-e-e-e-r*...

Moi (en pleurant) : T'es tellement ma *best for ever and ever* aussi-i-i-i...

Emmerick arrive pendant qu'on pleure dans les bras l'une de l'autre.

Emmerick : Les filles ! Qu'est-ce que vous faites ?

Kat : Des affaires de filles à régler.

Emmerick : Êtes-vous correctes ? On vous a cherchées partout, je pensais que vous vous étiez perdues ou que vous aviez été mangées par une araignée comme Jasmine.

Kat : Heille ! Si tu ris de mon amie et de sa peur des araignées, je casse !

Emmerick : C'était juste une blague, c'est beau. Mais j'étais inquiet. J'avais peur d'avoir perdu mes deux filles préférées de l'univers. Est-ce que ça va ? On dirait que vous avez pleuré !

Kat : Ben non ! On est juste émues par... les étoiles, pis on les voit bien d'ici.

Moi : Ouain !

Emmerick (en regardant le ciel) : Vous trouvez ? Avec toutes les lumières, on ne voit pas grand-chose. Pas comme au camping.

Kat : Ça donne juste une autre perspective du ciel.

Emmerick : Ah... oui. C'est vrai.

Tommy et Jean-Félix sont arrivés et nous ont proposé d'aller passer la journée de demain aux glissades d'eau pour profiter encore de l'été. Kat et moi, on a crié : « Ouiiiiiiiiiiiiiii, trop cool ! » et Emmerick a fait semblant (en tout cas, je pense et je l'espère) d'avoir honte de nous. Et Tommy a dit :

— Tu vas t'habituer. Sont toujours de même.

Et Kat a fait : « Gnagnagnagnagna-gnagna-gnagnagna. »

Dimanche 19 août

Glissades d'eau!!!!!!!!!!!!!!!!!!!!!!!!!!!!!!!!
WOUAAAAAAAAAHHHHHHHHH!

Le père de Jean-Félix est venu nous y reconduire. Nous avions donné rendez-vous à Emmerick qui nous attendait déjà à la billetterie.

13 h 24

Trop tripant!

13 h 37

Splish! Splash! Sploush!

13 h 48

Plus bel été de ma vie!

14 h 02

OH MON DIEU! OH MON DIEU! OH MON DIEU!

Nicolas est ici.

Non confirmé, parce que j'ai seulement cru l'apercevoir dans la file d'une glissade.

Focus.

Il faut que je me cache.

14 h 25

Merde! Nicolas est là. C'est confirmé. (Je suis quand même contente de voir que je ne suis pas myope.)

Changement de plan: Plutôt que de me cacher, adopter une attitude décontractée et

301

détendue. Surtout détachée. Lui raconter à quel point j'ai passé un été FA-BU-LEUX.

Vraiment, je n'avais pas du tout prévu de le croiser dans un environnement où je dois porter un maillot de bain. (Je croyais plutôt le revoir à l'école où on s'habille normalement, ce qui est moins intimidant.)

14 h 26

Il est avec Raphaël, son meilleur ami.

Peut-être que je pourrais carrément aller lui dire bonjour. C'est facile. Les gens normaux se saluent. C'est d'usage.

Nouveau plan : M'avancer tout sourire et leur dire bonjour.

14 h 27

Je repousse mes cheveux vers l'arrière (dans un mouvement que j'imaginais très sexy, mais le bracelet fluo qu'on nous oblige à porter pour signifier qu'on a payé notre entrée s'est coincé dans mes cheveux et j'ai été obligée d'arracher le petit motton de cheveux qui s'est formé en nœud autour du bracelet pour pouvoir me dégager).

Bon, tout n'est pas perdu. J'esquisse mon plus beau sourire. Total détachée, je m'avance. (J'essaie un peu d'imiter la démarche des mannequins dans les défilés de mode.) Pendant que j'avance, mes pieds mouillés dans mes sandales en caoutchouc font « sqwouch, sqwouch ». Pas grave. Assurance et détachement. Voilà. Il m'aperçoit et me sourit. Je continue d'avancer tout en affichant cette confiance en moi. C'est fou ce que vieillir d'un an peut nous octroyer comme maturité !

Oups, je viens de trébucher. Ma sandale s'est entortillée pendant que je marchais, je ne sais pas trop comment, c'est totalement étrange (possibilité que je sois poursuivie par les fantômes de ma chambre).

Oublions ça et gardons la tête haute.

Il me sourit toujours.

14 h 27 (et 30 secondes)

Moi : Allô.

Lui (avec regard, je dirais, perçant/surpris à l'appui) : Allô.

Je salue Raphaël.

Il me demande quelles glissades j'ai essayées, je lui réponds rapidement que je les déjà presque toutes faites, mais qu'on a décidé de refaire les plus extrêmes. Il me demande comment s'est passé mon déménagement, et je commence à lui parler de ma nouvelle maison, mais après quelques phrases (incohérentes), je sens mon corps devenir lourd comme un bloc de béton, mon cœur battre hyper lentement et, le souffle court, je ne suis plus capable d'aligner les mots et ma voix tremble quand je réussis à émettre un son. Gênée, j'arrête de parler pour dire (et là, humiliation totale) :

– Euh... désolée... je ne sais pas ce qui m'arrive, je crois que ça me fait quelque chose de te voir...

Il dit (en regardant autour de lui) :

– Veux-tu t'asseoir ?

Moi (me tournant vers l'endroit où je crois que se trouvent Tommy, Kat, JF et Emmerick) : Non, euh, scusez, désolée, je ne comprends pas, désolée. Ben... bonne journée.

ARGH !!!!!!!!!!!!!!!!!!!!!!!!!!!!!!!
(X 1000)

14 h 29

Je marche (toujours avec le souffle court) et me dirige vers un banc.

Au. Secours.

Alors que, dans mes rêves, j'imaginais le revoir et être forte et détachée, tout le contraire s'est produit.

14 h 30

Kat me voit arriver et me demande si tout va bien. Elle s'assoit près de moi. Elle me demande si je préfère m'en aller. Comme je ne veux gâcher la journée de personne, je décide de me ressaisir et de continuer à glisser. Mais comme je suis un peu perturbée, j'ai, disons, moins d'entrain.

18 h 31

En arrivant à la maison, je demande à ma mère si je peux lui parler seule à seule et on va dans ma chambre. Je lui parle de Nicolas. Que ce premier amour n'est pas sorti de ma tête. Que je n'arrive pas à aimer vraiment un autre gars (Iohann était gentil, mais je le comparais toujours à Nicolas ; j'avais un espoir pour Emmerick, mais là...) et que je suis toujours maladroite quand je le vois.

– Est-ce que ça t'est déjà arrivé de ne pas être capable... d'oublier un ex ? C'est vraiment bizarre parce que ma mémoire a tendance à oublier vite certaines choses, mais pour d'autres, c'est comme impossible d'effacer les informations.

Ma mère : Tu me demandes ça à moi ? J'ai déménagé pour tenter d'oublier un ex.

Moi : C'est pas un ex. C'est papa...

Ma mère : Vu comme ça. Mais c'est quand même un amour que je dois oublier.

Moi : Donc, ce serait héréditaire...

Ma mère : De quoi ?

Moi : Le problème de mémoire...

Ma mère me dit qu'elle pense que c'est tout à fait normal. Qu'elle a eu son premier amour dans la tête pendant des années. Elle me raconte même plusieurs anecdotes à ce sujet (et j'avoue que je trouve qu'elle donne un peu trop de détails, ce qui me met assez mal à l'aise...), puis elle ajoute :

– Mon avis de mère, c'est que tu mérites mieux qu'un gars qui ne te fait pas confiance et qui a décidé de te laisser. Je pense que tu dois l'avoir oublié. Tu es peut-être seulement nostalgique. Parce que tu n'as pas vécu un autre grand amour, c'est à lui que ton cœur se réfère quand il pense à l'amour. Tu penses à lui parce que c'est ta seule référence. Et comme tu es à l'âge où tu aurais envie de vivre ça, quand tu le vois, tu t'emballes peut-être un peu. Concentre-toi sur tes passions et tu vas vivre plein de choses qui vont te faire oublier le reste.

QUELLES PASSIONS?????????

19 h 17

Ma mère et moi sommes allées à la pharmacie à côté du magasin, car elle tenait à ce qu'on prenne ma pression. Elle a dit que puisque j'ai eu quelques épisodes de faiblesse, ça ne devait pas concerner mon histoire avec Nicolas, mais bien un réel problème de santé et, une fois qu'on a eu les résultats de ma pression, on est

305

revenues à la maison et ma mère a tout de suite appelé Info-Santé.

– Oui, bonjour, je crois que ma fille fait de la basse pression. Hu-hum... Oui... Je crois qu'elle a fait une chute de pression... Hu-hum... non, ce n'est pas la première fois, on pensait que ça pouvait être de l'hypoglycémie. 110/64. Ah oui? Normal? Vous pensez? (Elle se tourne vers moi.) Elle veut te parler.

Je prends le téléphone.

Infirmière d'Info-Santé : Quels sont vos symptômes exactement?

Moi : Je me suis sentie très mal. Mon corps est soudainement devenu un bloc de béton, j'avais du mal à respirer, je me suis sentie étourdie, mon cœur palpitait...

Infirmière : Eh bien, parfois, ça arrive. Êtes-vous particulièrement fatiguée ces temps-ci?

Moi : Oui. Ah oui. Très fatiguée. Ouf! Je ne dors pas bien parce que soit je dors dans une roulotte de camping, soit sur un divan, soit dans une chambre qui, disons, ne favorise pas le sommeil par son environnement hostile.

Infirmière : À quel moment est-ce que votre chute de pression est arrivée?

Moi : Euh... Ben... est-ce vraiment important?

Infirmière : Ça m'aiderait à déterminer si vous êtes correcte.

Moi : Vous n'allez pas rire?

Infirmière : Non, non! Je ne suis pas là pour vous juger.

Moi : Bon, eh bien, j'ai croisé un ex... Mais c'est clairement un problème médical, car ce n'était pas du tout lié à un sentiment amoureux, car ça fait plus d'un an, ça n'a pas duré si long-temps et il a été vraiment con avec moi!

Infirmière: Hum... je comprends. En fait, c'est ce qu'on appelle un événement très anxiogène.

Moi: Hein?

Infirmière: Qui peut causer une forte dose d'anxiété. Un grand stress. Ça arrive. Ne vous inquiétez pas, votre santé est bonne. Mais si vous vous sentez mal de nouveau, n'hésitez pas à rappeler.

Moi: Madame?

Infirmière: Oui?

Moi: Avez-vous eu d'autres cas du genre?

Infirmière: Oh! là... je ne pourrais pas vous dire.

Moi: OK, merci quand même...

P.-S.: Ma mère m'a permis de dormir sur le divan. (Avoir un cœur incontrôlable peut présenter quelques avantages, même si ma mère tente par tous les moyens de me faire réintégrer ma chambre et qu'elle a précisé que je ne pourrais pas élire domicile éternellement sur le divan, ce à quoi j'ai répondu: «C'est sûr, parce que personne n'est éternel!» Tsss!)

Lundi 20 août

J'ai été tirée de mon sommeil par le son (hyper agressif, soit dit en passant) de la sonnette de ma porte d'entrée. Je dormais sur le divan avec Sybil et elle a commencé à grogner.

J'ai répondu et c'était Nicolas.

Le problème, c'est que j'étais en vêtements de nuit (camisole jaune et boxers assortis)

Alors, quand je l'ai vu, j'ai eu un choc (pas seulement à cause de ma tenue vestimentaire).

12 h 07

Moi : Euh... Je...

Lui : T'es seule ?

Moi : Oui...

Lui : Est-ce que je peux entrer ?

Il me tend une boîte emballée. Un cadeau ?

Moi : Euh... ?

Appel urgent à tous mes neurones : Veuillez mettre en marche la fonction « vocabulaire » s'il vous plaît.

Lui : Ta mère m'a invité à ta fête...

Oh... pourquoi tous ces malaises me sont infligés ? Je voudrais juste dormir.

Moi : Ah, mais c'était en juillet... T'es un peu en retard.

Oh ! Je sais ! Je vis un cauchemar !

Il rit.

Je me pince.

Lui : Ça va ?

Moi : Je m'excuse pour ma mère. Elle ne savait pas qu'on ne se parlait plus. Elle voulait me faire une surprise.

Lui (en baissant la tête) : Ah... C'est pour ça que je ne suis pas venu. J'ai pensé que tu ne voudrais pas me voir.

Moi : Mais oui, j'aurais voulu te voir, gros con !

Je n'ai TELLEMENT pas dit ça !!!!!!!!!!!!!!

Évidemment, je me suis contentée (ce qui est davantage mon genre) de :

– Euh...

Lui : Aurélie, je me trouve tellement niaiseux des fois...

Moi : En général ou sur un sujet en particulier ?

Oh, cool ! La fonction « langage » a été réactivée !

Lui : Par rapport à... ben... toi. Hier, quand je t'ai vue, ça m'a fait drôle. Pis... Ma mère m'a dit que t'es hypoglycémique. Et je t'ai vue avoir un malaise hier, alors je voulais venir voir si t'étais correcte pis te donner ton cadeau.

Moi : Je ne suis PAS hypoglycémique ! Je suis comme ça juste quand t'es là !

Oups. Nouille. Retraite du langage, s'il vous plaît. Retraite. On revient à « euh... ».

Lui : Juste quand je suis là ?

Moi : Laisse faire...

Lui : Ah, ben je ne sais pas si tu vas aimer ton cadeau, d'abord.

Je l'ouvre et je découvre trois sachets où il est écrit (en anglais) : « nourriture d'astronaute », avec une photo d'astronaute dans l'espace à l'appui. Je le regarde, ahurie, me demandant si c'est une blague, lui qui sait à quel point je me sens si souvent comme une extraterrestre.

Lui : C'est de la nourriture déshydratée. Je l'ai commandée par Internet. Tu peux toujours la transporter sur toi et si tu manques de nourriture, tu n'as qu'à prendre ton sachet.

Mon cœur bat vraiment fort. Ma tête tourne et je ressens un vertige. Son odeur que j'ai toujours adorée parvient à mes narines et je me sens faiblir. On dirait que toute notre histoire me revient en mémoire. La douleur de ma peine d'amour. Toutes les fois où je le croise. Mais une bouffée de chaleur m'envahit à l'idée qu'il a eu une si délicate pensée à mon égard.

Il se tient toujours sur le pas de la porte.

Et j'ai soudainement extrêmement conscience du ridicule de la situation (surtout à cause de mes vêtements). Je parviens à peine à prononcer :

— Merci... pour le cadeau.

Et Sybil me passe entre les jambes à toute vitesse pour se sauver dehors.

Moi : Oh non !!! Sybil !!!! Il faut la rattraper ! Je ne peux pas sortir comme ça !

Nicolas : Change-toi et rejoins-moi dehors, je vais essayer de la rattraper. Merde, j'aurais dû apporter mon *skate*.

Il part.

Je cours vers ma chambre et attrape les vêtements que je peux trouver. Mais je les enlève aussitôt, car ils sont laids et sales et j'aimerais quand même que Nicolas me trouve jolie.

Mais je me dis que ce n'est pas le temps de penser à ça, alors je les remets et je cours chercher Sybil.

Je vois Nicolas revenir dans la rue avec un chat blanc dans les mains et, comme il approche, je remarque que ce n'est pas Sybil. Alors, je lui dis :

Moi : Où est-ce que t'as pris ce chat ?

Nicolas : Chez un voisin. C'est pas Sybil ?

Moi : Ben non !

Nicolas : Il est pareil.

Moi : Pas pantoute !

12 h 30

Mon estomac gargouille. J'ai vraiment faim. Et nous n'avons toujours pas retrouvé Sybil. Les pires scénarios me viennent à l'esprit : qu'elle se soit fait enlever par une gang de voyous qui la découpent en morceaux, qu'elle se soit fait violer par un chat en rut, qu'elle se soit fait happer par un conducteur fou et que je la retrouve tout ensanglantée dans la rue. Je me retiens de pleurer seulement parce que Nicolas est là et que j'aurais honte d'agir ainsi pendant nos... « retrouvailles » ? Je ne sais pas comment appeler ce qu'on vit.

Lui : T'as l'air d'avoir faim. Tu devrais peut-être manger ta bouffe d'astronaute.

Moi : Elle est chez moi.

Lui : J'en ai un sachet dans mon sac.

On s'assoit sur le trottoir et il ouvre son sachet. On voit un rectangle jaune devant représenter une banane, ce qui nous fait sourire. Nicolas le partage en deux.

Lui : Ç'a l'air dégueulasse.

Moi : Je n'osais pas le dire vu que, t'sais, c'est mon cadeau.

Lui : On goûte en même temps ?

311

Moi : OK. 1, 2, 3...

Lui : Go ?

On prend tous les deux une bouchée.

Lui : Ouach !

Moi : Pas si pire... Ça se mange.

Lui : Tu ferais une meilleure astronaute que moi.

Moi : Si j'étais bonne dans les matières que ça exige. Et aussi, je n'aime pas trop le camping. Ça ne serait pas pour moi.

Je m'étonne moi-même de la conviction avec laquelle j'affirme que ce travail ne serait pas pour moi. Est-ce que je commence vraiment à savoir ce que je veux ?

Hum... Non.

Lui : Tu sais, à cause de mon travail à l'animalerie, je connais un peu les animaux.

Oh, Nicolas ! Je t'aime. Je sais maintenant pourquoi, cosmiquement parlant, ça n'aurait jamais pu marcher avec Emmerick ni avec aucun autre gars : mon cœur n'est pas prêt à aimer quelqu'un d'autre. Même quand j'étais avec Iohann, mon cœur s'emballait et palpitait chaque fois que je croisais Nicolas, même si j'essayais de me faire violence pour ne pas que ça arrive.

Lui (qui continue) : Je pense que Sybil va revenir par elle-même.

Moi : Mais elle est toute mêlée. Elle a passé beaucoup de temps au camping et ne connaît pas les environs.

Lui : Fais-lui confiance.

J'avoue que je ne sais pas trop comment prendre son abandon du projet de la retrouver, mais je suis un peu trop obnubilée par sa bouche qui mâche avec dédain la bouffe d'astronaute pour m'y attarder.

Mais soudainement, je me ressaisis. Et je pars en direction de ma maison.

Lui : Mais qu'est-ce que tu fais ?

Moi : Je m'en vais chercher mon vélo ! Je ne peux pas faire confiance à Sybil, elle n'a aucun sens de l'orientation.

Lui : Hahaha, c'est un chat !

Je me dirige d'un pas ferme vers ma maison et j'empêche des larmes de rage mêlée d'inquiétude de rouler sur mes joues.

Peu importe ce que dit Nicolas, moi, je pars retrouver ma chatte !

13 h 15

Arrivée chez moi, j'ai la surprise d'apercevoir Tommy assis devant ma porte, tenant Sybil dans ses mains ! Je le regarde, vraiment intriguée, en disant :

– Où est-ce que tu l'as trouvée ??!!!!

Tommy : Ici, sur la première marche. Elle se roulait dans la poussière.

Je remarque que le poil blanc de Sybil est tout beige et sale.

Nicolas : Je te l'avais dit qu'elle reviendrait.

Pendant que Tommy caresse le cou de Sybil et qu'elle ronronne en plissant les yeux de plaisir, je la regarde et je la chicane de s'être sauvée et de m'avoir inquiétée à ce point-là. En guise de réponse, elle me regarde en faisant « rrrouhh » et en tendant son nez vers moi pour me donner un bisou, comme si elle voulait me dire : « Meh, rapport de t'inquiéter ? » et je me sens tout à coup très déstabilisée.

313

Se pourrait-il que je sois un clone de ma mère ?

Ouaaaach ! Cette perspective me donne un peu le vertige.

Nicolas : Veux-tu manger le reste de la bouffe d'astronaute aux bananes ? Tu n'as pas l'air bien.

Tommy : Elle est correcte, elle se fait juste penser à sa mère et ça la fait capoter.

Moi : Rapport, Tommy Durocher ?! Vraiment, rapport ?!

13 h 20

Nous sommes tous les trois entrés dans ma maison et il y a un gros malaise.

Toute la scène de la fois où Tommy m'a embrassée devant les fenêtres de MusiquePlus me revient en tête. Les deux gars se parlent en gardant une bonne distance entre eux et en se disant des choses comme « ouain, quelque chose » ou « ouain, autre chose » (mais tout commence par « ouain »).

Puis, Tommy me regarde, regarde Nicolas, me regarde et regarde Nicolas, puis prétexte qu'il doit tondre le gazon chez lui et s'en va.

13 h 24

Nicolas et moi sommes seuls. Je ne sais pas trop quoi dire ni quoi faire. Il se dirige alors vers la porte et il dit :

– Ben... je vais y aller.

Moi : OK... merci pour le cadeau. C'est original.

Il fait un pas vers la sortie et il se retourne vers moi pour ajouter :

– Est-ce que... ça te tenterait de faire quelque chose avec moi avant que l'école recommence? Je le sais que j'ai été con, mais...

Moi : OK, comme quoi?

Nicolas : Ben comme la fois où j'ai arrêté de te parler cet hiver, ou...

Moi : Non, comme quoi, dans le sens de... activité? Hahaha!

Nicolas : Comme tu veux.

Mardi 21 août

?????

Mercredi 22 août

!!!!!!!

Jeudi 23 août

Je suis sous le choc depuis deux jours et quelques heures.

J'ai tout raconté à ma mère. Je voulais qu'elle sache que son invitation à Nicolas n'était pas un acte terroriste, mais bien un geste de paix, calibre ONU ou un truc vraiment très coté du genre.

Oui, parce que peut-être que si elle ne l'avait pas invité, il n'aurait pas pensé à ma fête, n'aurait pas fait toutes ces recherches sur Internet pour ce cadeau, je ne me serais pas quasi évanouie devant lui et il n'aurait pas eu l'idée de venir me porter le cadeau chez moi (pensant sans doute que j'étais au lit aux prises avec une maladie dégénérative du cerveau ou un truc du genre, plausible pour ma personne).

Ma mère était vraiment soulagée.

Mais pourquoi alors, deux minutes après que je lui ai fait toutes ces confidences ultra-top-secrètes (que, et je tiens à le préciser, je n'ai même pas faites à ma meilleure amie encore), elle n'a répondu, après avoir jeté un regard circulaire autour de ma chambre, que par :

— Aurélie, tu n'as pas encore défait tes boîtes ?

A-t-elle bien entendu ? Nicolas ? Nicolas ! Ni.Co.Las.

Devrais-je l'appeler ? Lui envoyer un courriel ? Est-ce à moi de l'inviter vu qu'il l'a proposé ?

P.-S.: Face à ma bonne nouvelle, Tommy a juste dit : « Il est encore d'actualité, lui ? » Trop pas encourageant. Et il a ajouté : « Fait que... on arrête la secte des célibataires ? »

P.P.-S. : De toute façon, nous n'étions que deux membres.

Vendredi 24 août

Objectif du jour : Élan de spontanéité et force de caractère. Grrr. Je m'imagine avec des gants de boxe et j'affronte mes peurs (excluant les araignées).

J'ai commencé par appeler l'école de conduite. Je me suis inscrite aux cours théoriques, qui commencent la semaine prochaine.

Ensuite, j'ai appelé ma mère au travail pour lui dire que j'avais pris rendez-vous et elle était super fière ! Elle m'a dit d'appeler François pour le lui dire. Bien qu'au début je n'aie pas compris le but, je l'ai fait pareil et il a dit que je pourrais pratiquer avec sa voiture autant que je le voulais (*sweet*).

Et ensuite, j'ai pris mon courage à deux mains et j'ai appelé Nicolas. Ça sonnait comme :

– T'sais, l'autre jour, quand tu m'as dit que tu voulais qu'on fasse quelque chose, ben je me disais que ça pourrait être aujourd'hui.

Bon, ce n'était pas parfait. (Mais c'était mieux qu'à l'école de conduite où j'ai dit : « Ben... euh...

ma mère m'a donné des cours en cadeau... Des cours de conduite, là. Pis, en tout cas, j'ai un certificat-cadeau de votre école, pis toute. Alors... je voudrais prendre des cours, là, si vous en avez. » J'ai failli ajouter « en stock » sur le coup pour faire une blague, mais je me suis retenue, croyant que je m'étais assez humiliée. Mais franchement, le gars de l'école de conduite avait un air ahuri, comme s'il ne comprenait pas ce que je voulais. Il me semble que si on a une école de conduite, on donne des cours de conduite, donc la raison pour laquelle les gens nous appellent est assez évidente, non ? Je considère que ce n'est pas moi qui ai eu l'air folle, mais lui qui me laissait m'expliquer pour rien.)

Bref, pour en revenir à Nicolas, il a dit oui (hihi).

P.-S. : Je ne sais pas pourquoi j'ai ajouté « hihi ». En fait, j'aurais vraiment voulu dire « yé ».

14 h

Heure de mon rendez-vous avec Nicolas.

Comme il pleut, je l'ai invité à venir jouer à des jeux vidéo.

Avant son arrivée, pour me déstresser, j'ai compté les gouttes de pluie dans la fenêtre (vraiment pas évident vu qu'elles se séparent et tout).

Il n'est pas encore là ? Franchement ! Vraiment pas ponctuel !

14 h 01

Il est arrivé (hihi).

P.-S. : Voyons, pourquoi mon cerveau mélange-t-il « hihi » et « yé » ?

14 h 45

Je lui ai fait visiter ma chambre, qu'il a trouvée super belle, et quand il m'a demandé pourquoi je ne dormais pas là, je lui ai simplement menti en disant que ça sentait la peinture. (Ça ne sert à rien de lui parler des fantômes, je ne voudrais pas, disons, l'inquiéter.)

Ensuite, on est remontés au salon et on s'est assis sur le divan où trônaient encore ma douillette et mon oreiller.

16 h 36

Je ferme la télévision. Nous venons de terminer une partie qu'il a gagnée en se levant et en criant « victoire ». Il a gagné toutes les parties de tous les jeux auxquels on a joué. Il faut dire que je n'ai pas ma dextérité habituelle puisque tout mon corps tremble à cause de sa présence.

Puis, je place mon iPod sur le système de son, je sélectionne une *playlist* cool et je reviens m'asseoir.

Je prends mon courage à deux mains et je lui dis :

— Je suis contente qu'on redevienne... amis.

Lui : Aurélie, je ne veux pas être ton ami. Je sais que je suis vraiment con, mais...

Moi : Franchement, Nicolas Dubuc, tu me tapes solide ! Tu veux être mon ami, tu ne veux pas être mon ami, décide !

Puis, il s'est levé d'un bond et il a dit :

– Aurélie, je m'excuse tellement. Je ne suis pas capable d'être ton ami. Est-ce que j'ai perdu... toutes mes chances avec toi ?

J'aurais voulu dire : « Qu'est-ce que t'en penses, gros niaiseux ? » Mais au lieu de ça, j'ai pris mon courage à deux mains et, pendant que je rassemblais assez de courage pour lui dire ce que je pensais, mon cœur s'est remis à battre vraiment fort et, malgré ma respiration haletante, j'ai réussi à prononcer :

– Je ne suis pas capable d'arrêter de t'aimer.

Il est revenu s'asseoir et il a dit :

– Moi non plus.

Il a dit : « Moi non plus » !!!!!!!!!!!!!!!!!!!!

Il a commencé à parler de plusieurs choses, que je n'ai pas trop comprises, qu'il a vécues au cours des derniers mois. Et il a commencé à dire que c'est lorsque mon bas était tombé sur scène qu'il s'était souvenu pourquoi il était amoureux de moi et pourquoi j'étais « inoubliable ». (J'ai pensé lui dire que je trouvais ses critères en matière de filles un peu étranges, mais je me suis abstenue au cas où il s'en rendrait compte et changerait d'avis, et je me suis seulement concentrée sur la pensée que j'avais à ce moment et qui était : Wouahhh, inoubliable, moi ???) Puis, il s'est étendu sur le divan, les bras derrière la tête, avec la tête sur mon oreiller. (J'ai espéré que ma taie d'oreiller ne soit pas celle où j'avais écrit son nom, que j'avais par la suite rayé, dans le bas à droite, mais après vérification, il n'y avait pas son nom barré, alors fiou.) Je lui ai raconté ce que, de mon côté, j'avais tenté de faire pour l'oublier chaque fois que je l'avais croisé et où mon cœur avait palpité, l'anecdote dans le bureau de sa mère où je tentais par tous les moyens de chercher sa photo. Puis, il a tendu un bras et m'a demandé si ça me dérangeait qu'on se colle. Je me suis donc couchée dans le creux de son cou et il me caressait les cheveux. Sybil était couchée sur le dossier du divan et ronronnait (ce qui me faisait sentir surveillée).

Il a commencé à respirer mes cheveux, puis ma joue. Et je respirais la sienne.

Et là, il a commencé à parler vraiment vite et à m'expliquer qu'il avait essayé souvent d'entrer en contact avec moi, mais qu'il ne savait pas trop comment. Qu'il est venu souvent au restaurant où je travaillais simplement pour me croiser à un endroit où je ne pouvais pas me sauver (j'ai trouvé superflu de l'informer que j'essayais de me sauver par les conduits de ventilation) et là, j'ai dit, en lui donnant un bisou sur la joue :

– Est-ce que ça te dérange si je fais ça ?

Et il a souri. Et on s'est tous les deux remémoré cette scène hivernale de notre premier baiser.

Moi : J'ai un secret à te dire.

Lui : Quoi ?

Moi : Ben... t'as été mon premier french.

Lui : Pour vrai ?!

Moi : Oui...

Lui : Je te crois pas !

Moi : Je te le jure. OK, à part, dans ce temps-là, Daniel Radcliffe sur une affiche. Tu sais tout maintenant.

Il a ri. Et on s'est embrassés.

Ça goûtait la bouffe d'astronaute aux bananes.

Et ça m'a fait oublier tous les autres gars que j'ai embrassés : Gabriel, Iohann, Damien... (Ben, en fait, ça se résume à Gabriel, Iohann et Damien, je ne sais pas pourquoi, je pensais qu'il y en avait plus, mais je crois que c'est parce que je calculais mes baisers imaginaires avec des affiches d'acteurs de cinéma et/ou chanteurs.)

Puis, j'ai arrêté pour lui demander :

– Hé ! Est-ce que c'est toi qui as acheté ma marionnette ?

Nicolas : De quoi ? Non... Mais s'il faut que j'achète une marionnette pour qu'on reprenne ensemble, je vais le faire.

Moi : Oh, non, c'était juste par curiosité... Et tu n'as pas besoin d'acheter une marionnette pour qu'on reprenne ensemble...

17 h 01

Note à moi-même n° 1 : À investiguer : Qui a bien pu acheter cette marionnette hyper laide ?

Note à moi-même n° 2 : Peut-être qu'il y a des choses faites pour rester mystérieuses...

Note à moi-même n° 3 : Mais on s'en fout !!! Je sors avec Nicolas !!! WOUAHHHHH !!!!

Note à moi-même n° 4 : Faire le bilan de tous mes vœux formulés à 11 h 11. Maintenant que je sais que ce système de souhaits fonctionne à retardement, il faudrait que je fasse une petite mise à jour pour que certains souhaits qui ne sont plus d'actualité ne se réalisent pas...

Je ne sais pas trop combien de temps on est restés, comme ça, à s'embrasser et à se coller et à se raconter à quel point on s'était ennuyés l'un de l'autre, mais j'ai entendu la porte s'ouvrir, alors on s'est décollés à la vitesse de l'éclair.

Et François nous a regardés d'un air vraiment suspicieux.

Et j'ai balbutié quelque chose comme : « Voici Nicolas, mon ex-chum, ben, en tout cas, nouveau chum, ben ex, mais re-chum, en tout cas, il m'a aidée à retrouver Sybil l'autre jour. En fait, c'est grâce à lui que je l'ai eue parce que c'est son animalerie, en tout cas, et Nicolas, c'est François, le chum de ma mère. » (*Comment avoir l'air louche*, par Aurélie Laflamme, tome 50.)

Et Nicolas est parti quelques minutes plus tard.

Ensuite, avant le souper, ma mère et François se parlaient dans la cuisine pendant que j'étais assise à la table de la salle à manger et semblaient comploter sur le meilleur sermon à me servir.

J'étais préparée à ce qu'ils me disent qu'ils ne voulaient pas que je sois seule avec un garçon à la maison (ma mère m'avait déjà dit ça quand elle nous avait surpris, Tommy et moi, en pleine bataille d'oreillers dans ma chambre) et blablabla et blablabla.

Ils sont venus s'asseoir à la table, ma mère y a déposé une salade de pois chiches (je déteste, habituellement, mais mon état de famine avancé faisait paraître ce mets comme le plus succulent qui ait jamais existé).

Puis, ma mère allait lancer quelque chose lorsque j'ai dit :

— OK, je le sais, pas de gars quand je suis seule, blabla, est-ce qu'on peut manger ? Je ne le ferai plus.

Ma mère et François se sont regardés, complices (ce qui m'a fait sentir un peu rejet sur le coup).

Sybil est allée au pied de François et il lui a dit :

— Tu n'aimes pas ça, les pois chiches, Sybillou, va manger ta bouffe de chat.

Ce qui m'a fait sourire.

Ma mère a alors dit, un peu mal à l'aise :

— Comme j'allais dire avant que tu me coupes la parole, je pense qu'il est temps que tu dormes dans ta propre chambre.

J'ai riposté en leur parlant des fantômes, ils m'ont dit que j'étais trop vieille pour des histoires de ce genre, que je n'étais pas (et je cite) « crédible dans mes terreurs nocturnes ». Franchement !

Et, alors que je croyais que le sermon était terminé et qu'on était en plein débat sur les fantômes, ma mère et François se sont encore regardés de façon complice et ont marmonné chacun à leur tour « Tu lui dis ? » et « Ben non, vas-y, c'est toi qui veux ça », alors François a lancé :

— Et puis... j'aimerais ça que tu arrêtes de dire aux autres que je suis le chum de ta mère.

Moi : Oh non ! Vous n'allez pas vous séparer, là ! Trop tard, on a déménagé, vous restez ensemble !

François : Je préférerais, si tu te sens à l'aise avec ça – je ne veux rien t'imposer –, que tu me présentes comme ton beau-père. Ça exprime mieux notre lien familial. Moi, je t'aime et j'aimerais pouvoir dire que tu es ma belle-fille.

Samedi 25 août

Comme je suis condamnée à dormir dans une chambre hantée, j'ai décidé d'aller passer la fin de semaine chez Kat. Elle n'en revient pas que j'aie repris avec Nicolas, hihi (cette fois, je voulais vraiment dire « hihi »). On a passé toute la nuit à parler, parler, parler, parler.

Dimanche 26 août

Je ne sais pas trop ce qui s'est passé cette nuit, mais je me suis réveillée avec la maturité qui me sortait par les oreilles.

J'ai proposé à Kat que, dès demain, on aille ensemble faire des demandes d'emploi au centre commercial pour se trouver un travail de vendeuse dans une boutique de vêtements. Et elle a dit que c'était une bonne idée. Ce serait trop cool d'être engagées dans la même boutique et de travailler ensemble ! J'ai eu cette idée, comme ça, totale gracieuseté de mon cerveau.

Puis, j'ai pensé qu'il était temps que je retourne chez moi, même s'il fallait que je dorme dans ma chambre hantée. (Et, non, cette décision n'est pas due au fait que Lady m'a réveillée toute la nuit parce qu'elle jappait et qu'elle venait me lécher le visage vu que je dormais par terre.)

De toute façon, ma mère a raison ; quand l'école va recommencer, je n'aurai pas le temps de défaire mes boîtes et ça va traîner. Il est temps que je le fasse.

En revenant chez moi, mon nouveau chez-moi, je suis arrêtée chez ma voisine pour lui dire que j'étais disponible pour garder quand elle voulait.

Total. En. Feu.

(Honnêtement, je crois que je suis propulsée par l'amouuuuuur !)

22 h 01

J'ai passé la journée à placer mes choses.

J'ai gardé ma boîte de table de chevet pour la fin. J'ai sorti la photo encadrée de mon père. Et je l'ai longuement regardée. Dépoussiérée. Puis, je l'ai placée sur ma table de chevet, bien en évidence, et j'ai lancé un faible :

– Allô...

En m'entendant, comme ça, à voix haute, je me suis sentie tellement nounoune que j'ai arrêté tout de suite !

Puis, j'ai pris la photo et je lui ai fait faire un tour de ma chambre.

22 h 02

Je suis montée à l'étage pour trouver la caméra. Ma mère et François étaient collés sur le divan, devant la télévision. Puisque j'avais la caméra en main, je les ai pris en photo, car ils étaient *cutes*. (Ils ont vraiment protesté, ce qui m'a fait rire.) Puis, je suis redescendue dans ma chambre, j'ai allumé la caméra et j'ai commencé à faire défiler les photos, en face du cadre de mon père :

— Regarde, c'est maman, Kat, Kat, c'est ma *best*, et elle, c'est Julyanne, sa sœur, et moi. On attendait dans la file pour un autographe de Simple Plan. Mon groupe préféré. Parmi d'autres. C'est pas mon seul groupe préféré. Au fait, pendant qu'on faisait des boîtes, maman voulait jeter tous tes vinyles, mais je les ai gardés. Regarde, ils sont là-bas, dans le coffre.

Je tourne un peu la photo vers le coffre et je reviens à l'appareil.

— Cette journée-là, on a vraiment été trop nouilles ! Et maman n'était pas capable de faire fonctionner la caméra. Tu la connais ! Zéro technologique.

J'appuie sur la flèche qui fait avancer les photos et ça fait un bruit, « toup », chaque fois que la photo change. « Toup », pas important, « toup », pas important, « toup », pas important.

— Oh, regarde, c'est Sybil, mon minou. Elle donne un bisou à maman, c'est elle qui lui a montré à faire ça. Des fois, elle rapporte la balle aussi, mais juste quand ça lui tente. Pas comme un chien. Des fois, elle grogne comme un chien aussi, mais elle se cache tout de suite après, parce qu'elle est peureuse.

« Toup », pas important, « toup », pas important...

— Oh! c'est ma fête de seize ans. Tout le monde était là. Regarde, grand-maman Laflamme. Elle a changé, hein? Elle ne fume plus. Et c'est grâce à moi. Bon, en échange, il fallait que j'arrête de manger du chocolat. Mais j'en mange pareil des fois. Juste un peu moins qu'avant. Ah, tiens, c'est grand-papa et grand-maman Charbonneau. Le soir, avant de se coucher, ils enlèvent leur dentier mais continuent de parler en zozotant, c'est très comique. Et lui, c'est Tommy, mon meilleur ami gars. Il joue de la guitare. Sur cette photo-là, je crois qu'il jouait *Bonne fête*. En tout cas, il est vraiment bon. Il va sûrement devenir un compositeur de musique pour jeux vidéo.

« Toup », pas important, « toup » pas important...

— Hein? Qu'est-ce que ça fait là, ça? C'est Damien, un gars du camping, vraiment trop nul. C'est clair que tu ne l'aurais pas aimé.

« Toup », encore ma fête, « toup » encore ma fête, « toup », Lady, le chien de Julyanne, « toup », Emmerick, le chum de Kat.

— Oh. Lui, c'est François Blais. Le chum de maman. Mon beau-père... T'en fais pas, il n'est pas diabolique. Il est cool. Il veut que je l'appelle « mon beau-père » parce qu'il dit qu'il m'aime. Et il va me prêter son auto pour pratiquer pour mes cours de conduite.

« Toup », pas important, « toup », pas important.

— Lui, c'est Nicolas. Mon chum. On est sortis ensemble l'an passé et on a repris il y a quelques jours. Je ne sais pas trop si tu agirais comme le père de Kat si tu le rencontrais. Si oui, ça me ferait trop *honte*. J'espère juste que tu l'aimerais... Sûrement. Vous avez plein de choses en commun. Il veut étudier en administration, comme toi. Il veut reprendre l'entreprise familiale. L'animalerie où j'ai rencontré Sybil. En tout cas. Tout le monde a l'air de savoir ce qu'il veut faire dans la vie, sauf moi. Ah oui, il m'a donné de la bouffe d'astronaute, regarde.

Je me lève et cours chercher le sachet de nourriture d'astronaute aux fraises, puis reviens pour l'exhiber devant le cadre.

– Ça goûte trop dégueu au début, mais après, c'est pas si pire.

22 h 12

Ma mère est venue voir mon travail (inutile, mais bon). Elle jubilait quand elle a vu que j'avais défait mes boîtes et que toute ma chambre était bien rangée.

Quand elle m'a demandé ce que je faisais, j'ai simplement dit que je regardais nos photos de vacances. Elle a voulu les regarder avec moi.

Puis, pendant qu'on était concentrées sur le petit écran de la caméra, une des étoiles que j'ai accrochées au plafond est tombée sur la caméra, ce qui nous a fait sursauter. (Au début, je croyais vraiment que c'était une araignée radioactive vu l'aspect fluorescent.)

Et on a éclaté de rire quand on a découvert ce que c'était.

Puis, ma mère m'a demandé si j'allais être correcte, par rapport aux fantômes. Et j'ai réalisé à quel point c'était ridicule. Et on a ri.

Et je lui ai avoué que c'était peut-être juste parce que je me trouvais des raisons pour ne pas dormir ici... Elle a insisté pour me dire que si jamais je ne me sentais pas bien dans ma chambre, je pourrais prendre le bureau, qui est juste à côté de la sienne. Je l'ai remerciée en lui disant que j'allais m'habituer à cette chambre.

Il va falloir que je m'habitue aux changements. J'entame dans une semaine ma dernière année au secondaire. Ensuite, je ne sais pas trop ce qui m'attend. Peut-être qu'il faut seulement que j'arrête d'avoir peur de l'inconnu et que je me laisse surprendre, que j'apprivoise le présent.

Ma mère est partie et j'ai collé mon étoile décollée du plafond sur le cadre de la photo de mon père.

Parfois, j'ai l'impression que tout est toujours à recommencer. Comme si je reconstruisais toujours des fondations sur des ruines, et que des tempêtes emportaient mon travail une fois après l'autre. Mais à travers tout ce que je vis, j'ai compris une chose. Peu importe ce que je fais pour lutter contre ça, mon cœur sera toujours plus fort que moi.

La production du titre : *Le journal d'Aurélie Laflamme, Ça déménage!* sur 62 423 lb de papier Enviro 100 plutôt que sur du papier vierge aide l'environnement des façons suivantes :

Arbres sauvés : 531

Évite la production de déchets : 15 294 kg

Réduit la quantité d'eau : 1 446 715 L

Réduit les matières en suspension dans l'eau : 96,8 kg

Réduit les émissions atmosphériques : 33 584 kg

Réduit la consommation de gaz naturel : 2 185 m^3